JN227210

だれにでもわかる文法と発音の基本ルール

新ゼロからスタート中国語
文法編

CD付

王 丹
Wang Dan

Jリサーチ出版

はじめに

　本書は、ゼロから中国語の勉強を始めたいという読者のための入門書です。中国語に関する予備知識がゼロの状態であっても、まったく問題なくスタートすることができます。
　本書の特徴をひと言で言うと「単純明快」です。中国語という言語のしくみから発音、文字、文法のルールまで、わりやすく、やさしく、誰にでも理解できるように解説することを心がけています。この1冊を学習し終えると、中国語の基礎がしっかり身についているはずです。

中国語の文法は語順を覚えること

　母国語以外の言語を学習するには、発音と文法の2つを身につけなければなりません。
　発音については、まず「発音編」で母音・子音・四声の基本を覚えたら、CDに収録されているネイティブスピーカーの音声を聞いてみましょう。そして、CDの音声を真似て、自分でも声を出して練習しましょう。なるべくCDの音声に近づけるよう、繰り返してください。何度もくり返して練習すれば、発音の要領が定着し、必要に応じて自然に発音できるようになります。
　文法について言うと、中国語の文法は日本語や英語よりも断然、簡単です。日本語の「て、に、を、は」のような助詞や、「読まない、読みます、読む、読むとき、読めば」といった動詞の活用もありません。また、英語にある動詞の変化や、疑問文にするときの並べ替えのような面倒なこともありません。中国語で必要なのは、単語の順序を覚えるだけです。それが中国語の文法なのです。

45の「文法公式」ですっきり覚えられる

　本書の「文法編」は全部で20のUNITで構成されています。各UNITは、「例文」→「本文単語・補充単語」→「文法説明」→「練習問題」という流れになっています。文法説明は45の「文法公式」として、学習しやすいようにまとめています。

　復習のための練習問題「10分間エクササイズ」には、基礎的な問題を中心に、少し応用的な問題も組み込んでいます。

　練習問題を終えたら、最後にもう一度、例文、文法説明に戻って復習してみましょう。くり返し学習することによって、身につけた内容をしっかり定着させることができます。

　本書の特徴は、文法項目を順番に身につけるだけでなく、前に習った項目を新しい項目と組み合わせて、学習を進められるようになっていることです。つまり、自然なかたちで文法項目の復習と応用ができるのです。「足し算」ではなく「掛け算」の学習スタイルと言うことができます。

　言葉の学習は基礎がとても大切です。最初は急いだり焦ったりすることなく、時間をかけてしっかりと基礎を固めるようにしましょう。基礎がきちんとできていれば、ちょっとしたヒントで簡単に応用が利くようになります。反復練習をして基礎固めを心がけましょう。

　本書がこれから中国語を勉強しようと考えているビギナーの方々に少しでもお役に立てるなら、著者としてこれほど嬉しいことはありません。

貴在堅持！ ── 継続は力なり！

王丹

新ゼロからスタート　中国語　文法編
もくじ

はじめに	2
本書の利用法	6
まず中国と中国語を知ろう	8

発音編

UNIT 1	発音のポイント	16
UNIT 2	声調（四声）	17
UNIT 3	単母音	18
UNIT 4	子音	20
UNIT 5	複合母音	22
UNIT 6	鼻母音	24
UNIT 7	その他の発音のポイント	26
UNIT 8	発音の総合練習	28

文法編

●第1章		29
UNIT 1	あいさつの基本	30
UNIT 2	名前のたずね方と言い方	36
UNIT 3	動詞「是」①　「人＋是＋人の名詞」	42
UNIT 4	動詞「是」②　「指示代詞＋是＋物の名詞」	50
UNIT 5	疑問代詞の「谁」（だれ？）	58

●第2章		67
UNIT 6	動詞「有」①　「人＋有＋名詞」	68
UNIT 7	動詞「有」②　「人＋有＋人の名詞」	74

UNIT 8	動詞「有」③　「場所 ＋ 有 ＋ 人・物の名詞」	82
UNIT 9	月・日・曜日・年号・電話番号	90
UNIT 10	時刻・年齢の言い方と名詞述語文	98

●第3章　107
UNIT 11	形容詞の使い方①　形容詞述語文	108
UNIT 12	形容詞の使い方②　強調の「太〜了」	116
UNIT 13	動詞の文の表現	124
UNIT 14	助動詞の使い方	130
UNIT 15	完了を表す「了」と経験を表す「过」	136

●第4章　145
UNIT 16	動作の進行を表す	146
UNIT 17	動詞の「喜欢」／動詞・前置詞の「在」	154
UNIT 18	動作の方向を表す「去」「来」／前置詞の「跟」	162
UNIT 19	前置詞「从」「到」／同時進行・動作の順序	170
UNIT 20	自己紹介をしてみよう	176

「動詞 ＋ 目的語」の定型的な組み合わせBEST 30 … 184
文法公式のまとめ … 186
ビギナー・ボキャブラリー … 190

COLUMN もっと知りたい！

日本語と中国語のここが違う① …… 66
日本語と中国語のここが違う② …… 106
「好 ＋ 動詞」のよく使う形容詞 …… 144

本書の利用法

　本書は中国語の基礎をゼロから身につけるための1冊です。まず「発音編」で中国語の音声を学び、「文法編」に進むという流れになっています。文法編は20のユニットで構成されています。

発音編　まず発音を身につけましょう

　中国語は発音がとても大切です。四声、母音・子音をしっかりマスターしましょう。CDを聞いて、実際に自分でも声に出して発音してみましょう。

文法編　45の公式で簡単に覚えられます

● **例文**
　CDを聞き、ピンインを見て、自分でも発音しましょう。カタカナが補助に付いています。

● **本文単語**
　例文で新しく出てきた単語をリストにしています。中国語と日本語訳の両方がCDに吹き込まれています。

● **補充単語**
　本文単語の関連語を紹介します。中国語と日本語訳の両方がCDに吹き込まれています。

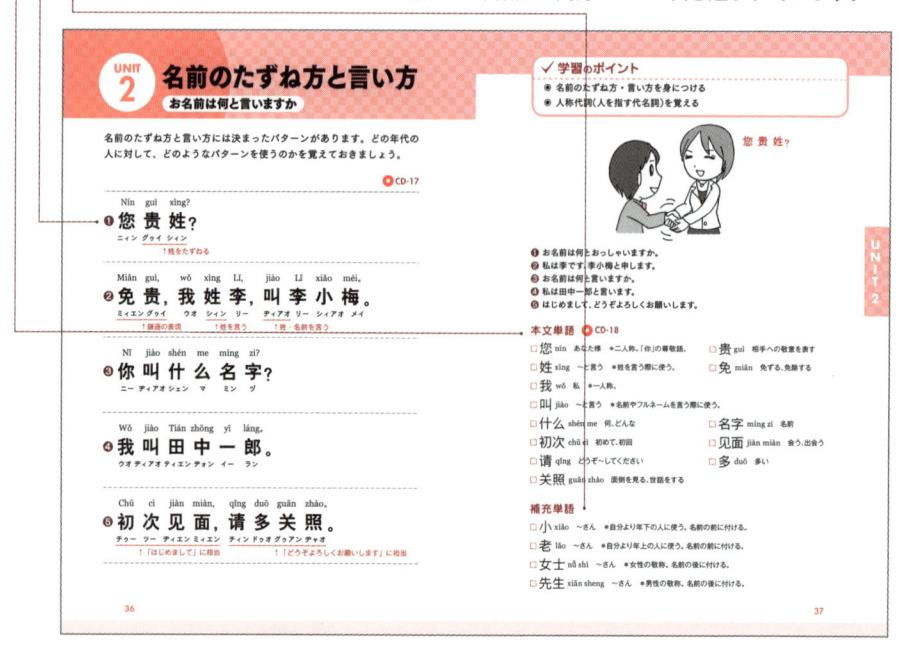

● CDを聞きましょう
CDには「例文」「本文単語」「補充単語」「文法公式の例文」がすべて録音されています。何度も聞いて、中国語の音に慣れるようにしましょう。

● 文法公式
「文法公式」は中国語の文法のポイントを簡単にわかりやすく説明しています。例文を紹介しながら、できるかぎり具体的に解説します。

中国語の文法公式を覚えよう

公式 4　「是」はイコールでつなぐ　● CD-23

「是」は左右の言葉をつなぎ、「～は～だ」「～は～である」と両者が同一であることを表します。しかし、日本語のすべての「～は～だ」「～は～である」が「是」で表現できるとは限りません。
日本語の「～は～だ」「～は～である」のほうが使い道が広いということです。中国語の「是」はあくまでも左右がイコールであるときだけに使えます。また、主語の人称の単数・複数によって「是」の形が変わることはありません。

（人 ＋ 是 ＋ 人の名詞）　～は～だ。／～は～である。

Wǒ shì Zhōng guó rén。
我 是 中 国 人。
（私は中国人です）

● 超かんたん　10分間エクササイズ
各UNITの最後には、復習の練習問題が用意されています。鉛筆を手に書き込みながら、解答しましょう。問題を解きながら、簡体字を覚えていくようにしましょう。

● 文法公式のまとめ
巻末には、45の文法公式の一覧があります。復習や確認のためにご利用ください。

● ビギナー・ボキャブラリー
中国語初級者に必要な基本的な単語をまとめてリスト化しています。本編で学習したものも含まれます。覚えたかどうかをチェックしましょう。

まず中国と中国語を知ろう

① 中国についての基本知識

国のかたち

中国（正式名称は中華人民共和国）は1949年に建国され、首都は北京、国土面積は日本の約26倍あり、世界第3位です。人口は約13億人で、人口で換算すると、世界の約6人に1人が中国人であるという計算になります。日本の県に当たる省は23あり、香港とマカオは中国に返還されて、特別行政区となっています。

日本との関係

日本と中国との関わりは古代にまで遡り、遣唐使の時代を経て、実に千数百年にわたって続いてきました。長い歴史の中で、両国の間にはさまざまな出来事がありましたが、現在、日本と中国は経済や人の交流で緊密な関係にあります。上海市には約10万人の日本人が暮らしていて、海外で暮らす日本人の数で上海はニューヨークを抜いてナンバーワンの都市になりました。日本にとって、中国ほど長く深く関わった国は他にないのではないでしょうか。

政治

中国は、中国共産党によるほぼ一党独裁の社会主義国家です。一党独裁と言っても、他の政党がないわけではありませんが、それはあくまでも形式的なものにすぎません。日本の国会に当たる全国人民代表大会は中国の最高国家意志決定機関です。2013年には、習近平（しゅうきんぺい）国家主席、李克強（りこくきょう）国務院総理による新体制がスタートしました。

経済

　1979年に開始された改革開放政策により、建国後ずっと続いてきた社会主義計画経済から市場経済へと転換をはかりました。以来、中国はすさまじい勢いで経済成長を遂げてきました。2008年の北京オリンピック、12年の上海万博を成功させ、また何と言っても、同年の10月には名目GDPで日本を抜いて世界第2位になったことが世界に大きなインパクトを与えました。

　今、中国は世界経済のけん引役であると言われるようになり、着実に経済大国に向かって歩んでいます。

（データ）

国名　　：中華人民共和国
首都　　：北京
建国年月：1949年10月1日
国土面積：959.7万km²（世界第3位、日本の約26倍）
人口　　：約13億人
社会体制：社会主義体制
行政区分：23省、5自治区、4直轄市（北京、天津、上海、重慶）、2特別行政区（香港、マカオ）
民族　　：漢民族（人口の92%）、56の少数民族（人口の8%）
共通言語：漢語
通貨　　：人民元

② 中国語はどんな言葉？

漢字について

　漢字は元々中国人によって作り出されたものですが、朝鮮半島を経て、日本にも伝わりました。現在、日本語と中国語には、まったく同じ漢字がたくさんある一方、異なる漢字もたくさんあります。
　異なる漢字の中には、日本が自国の風土や習慣などに合わせて独自に作り出したものがあります。例えば、「峠」、「畑」、「働」などです。
　漢字が中国から日本に伝わってきた過程において、何らかの原因で形が微妙に変わってしまった漢字もあります。例えば、「骨→骨」、「黑→黒」、「別→別」などです。
　また、同じ意味であるにもかかわらず、文字の順序が逆になっている言葉もあります。例えば、「介绍→紹介」、「和平→平和」、「黑白→白黒」などです。
　さらに、同じ漢字なのに、意味がすっかり変わってしまったものもあります。例えば、「大家」（みんな）、「工作」（仕事）、「告诉」（話す）などです。
　こうした日中両国に共通の漢字の世界に興味を持っていただくと、中国語の勉強がぐんと楽しくなると思います。何しろ、世界で漢字を使っている国は日本と中国だけなのですから。

簡体字(かんたいじ)について

　日本語には、漢字、ひらがな、カタカナの3つの文字があるのに対して、中国語は漢字のみで、漢字以外の文字はありません。日本では小学校の6年間で学習する漢字の数は1000字くらいですが、中国では日本の3倍の3000字くらいを覚えなければなりません。
　そこで、国民全体の識字率を高めるため、漢字をより簡単に書けるようにと、旧来の漢字の画数を減らしたり、1つの漢字のある部分だけを残し、他の部分を省いたりして、いわば漢字を新たに作り直したわけです。

こうしてできた新しい漢字を「簡体字」と呼んでいます。例えば、「漢→汉」、「過→过」、「門→门」、「飛→飞」、「習→习」等々。気をつけていただきたいのは、簡体字は決して俗字ではなく、正式文字なのです。中国語を身につけるには、この簡体字を覚えなければなりません。

ピンイン（拼音）

　ピンインとは、日本語の漢字に付けられるふりがなのようなもので、漢字の読みの表記のことです。ピンインはアルファベットで表します。
　日本語の漢字の多くのものには、音読みと訓読みという2つの読み方がありますが、中国語の漢字には、ごく一部を除いて1つの漢字に1つの読み方しかありません。つまり、ある漢字の読み方を覚えれば、どんな場合でも、その漢字はその読み方で読めばいいわけで、日本語に比べてとても楽です。
　まず、ピンインとその発音を覚えましょう。

共通語である普通話(プートンホア)

　56の民族を抱える中国ですが、中国語は実は最も人口の多い漢民族の言語で、「漢語」と呼んでいます。その「漢語」に使われている文字が「漢字」です。
　漢語とひと口に言っても地域によってさまざまな方言があります。関西弁のようななまりの違いだけの方言もあれば、まるで別の言語のように意志疎通できない方言もあります。こうした事情から、1つの国の中にあって、どこに行っても通じる共通語が不可欠ということになります。
　そこで、北方地方の方言を基準にした共通語──「普通話」が定められました。一般的に「北京語」と呼ばれます。「上海語」や「四川語」などはその地域の方言を指します。日本の大学では、「普通話」を中国語として教えていて、私たちがこれから学習するのもこの「普通話」です。

③ 中国語を学習するためのヒント

文法の特徴

　中国語は全部、漢字でできています。漢字の形自体は変わることがありません。ですので、日本語のような動詞の活用がありません。
　過去形・現在進行形などの時制や、否定・受け身などの表現は、それぞれの役割を果たす言葉があり、それらを決まった位置に置いて表現します。これが中国語文法の特徴の1つです。
　こうした中国語をマスターするのに大切なのは次の2つです。1つ目は、「文法の役割を果たす言葉も単語と同じように覚える」ことです。2つ目は、「それらを文のどの位置に置くか、つまり語順を覚える」ことです。中国語を学習するときには、この2つのポイントをいつも心がけておきましょう。

主語を省略しない

　日本語では、文中の主語や人物を表す代名詞などをよく省略します。もちろん、日本語の場合には、省略しても文意がはっきりとわかるので、問題はありません。
　しかし、中国語では、主語はもちろん、他の人の代名詞も省略することはありません。例えば、日本語で「待っています」という表現を中国語で言うと、「我等你」です。「我」（私）と「你」（あなた）をしっかり言わないといけないのです。中国語で作文するときには、日本語の文に主語や関連の人物が文中になくても、必ず付け加えるようにしましょう。

品詞の種類

中国語の品詞には、大きく分けて「実詞(じっし)」と「虚詞(きょし)」の2種類があります。実詞は文法成分になるもので、虚詞は文法成分になれず実詞を補助する役割を果たすものです。日本語・中国語の品詞名を紹介します。

（実詞）		（虚詞）	
名詞	**名词**	前置詞	**介词**
動詞	**动词**	接続詞	**连词**
形容詞	**形容词**	助詞	**助词**
副詞	**副词**	感動詞	**感叹词**
助動詞	**助动词**	擬音詞	**象声词**
数詞	**数词**		
量詞	**量词**		
代詞	**代词**		

　日本語では、その単語が動詞か名詞か形容詞か、その形を見るだけで大半は判断できます。しかし、中国語は漢字しかないため、見た目でどの品詞なのかを判断することはかなり難しいと言えます。中国語学習の入門段階では、まず動詞と形容詞を意識しながら覚えていくのがいいでしょう。

外来語の表記

　カタカナで外来語を表記する日本語に対して、漢字しかない中国語は外来語も当然、漢字で表記するしかありません。表記する方法は、主に次の2つです。

①外来語の音に近い漢字を使って、音で表記する。

shā fā
沙发（ソファ）

qiǎo kè lì
巧克力（チョコレート）

mó tèr
模特儿（モデル）

　日本のような漢字を使う国を除いて、外国の地名と人名は基本的にこの方法で表記します。

Xià wēi yí
夏威夷（ハワイ）

Bā lí
巴黎（パリ）

Jiā ná dà
加拿大（カナダ）

Bèi duō fēn
贝多芬（ベートーベン）

Ài yīn sī tǎn
爱因斯坦（アインシュタイン）

Bì jiā suǒ
毕加索（ピカソ）

②物や事象の性能や特徴などに基づいて、意味で表記する。

diàn nǎo
电脑（パソコン）

zhì néng shǒu jī
智能手机（スマートホン）

kuài cān
快餐（ファストフード）

発音編

中国語は発音がとても大切です。まず正しい母音・子音と四声をしっかり覚えましょう。

UNIT 1	発音のポイント	16
UNIT 2	声調（四声）	17
UNIT 3	単母音	18
UNIT 4	子音	20
UNIT 5	複合母音	22
UNIT 6	鼻母音	24
UNIT 7	その他の発音のポイント	26
UNIT 8	発音の総合練習	28

● CD 2～CD 14

UNIT 1 発音のポイント

ピンイン　中国語の発音記号は「拼音(ピンイン)」と言います。ピンインは「子音」「母音」「声調」の3つの部分でできています。これが1つの文字の発音で、1つの音節と呼ばれます。

母音(ぼいん)　母音には「単母音(たんぼいん)」「複合母音(ふくごうぼいん)」「鼻母音(びぼいん)」があります。

声調(せいちょう)　声調は第一声から第四声まで4つと軽声があります。子音が先で、母音が後、そして、声調は母音の上に表記されます。

　声調を除けば、日本語のローマ字表記に似ています。例えば、日本語の「ま→ ma」のように、中国語の「吗→ ma」は「m」が子音、「a」が母音となっています。しかし、中国語の発音には声調があります。声調によって漢字や意味が違ってきます。

mā 妈 母

mā

mǎ

mǎ 马 馬

声調

子音 + 母音

❗発音学習は丁寧に、ゆっくりと

中国語の発音を身につけるには、はじめの段階では決して焦らないことが大切です。1つ1つの音を、丁寧に、ゆっくりと伸ばし気味に発音するよう心がけましょう。ゆっくり発音すればごまかしが効きません。きちんと発音されているかどうか、どこがおかしいのか、意識しましょう。

UNIT 2 声調 [4種類 + 軽声]
せいちょう

　声調とは、音の上がり下がりで、日本語のイントネーションのようなものです。声調は線で表します。第一声は「ˉ」、第二声は「´」、第三声は「ˇ」、第四声は「ˋ」と、何も表記しない軽声があります。

　声調は、この線の上がり下がりを参考に発音します。なお、軽声は軽く、短く発音します。

ˉ 第一声　上げ下げはなく、まっすぐ伸ばします（→）。この第一声を基準にして、他の声調の上げ下げの程度を決めます。

´ 第二声　低いほうから高いほうに上げます。日本語の「え〜？」（↗）や「あれ？」（↗）の語尾をイメージしましょう。はじめの低い音から高い音への移行、その差が大切です。高く始めたら、もっと高く上げないといけないので、低く始めるのがコツです。

ˇ 第三声　最初から低く抑え気味で発音し、決して上げようとしないこと（↘）。最初から最後まで低く抑えるのがポイントです。表記の線は「ˇ」となっているので、ついつい下げてから元に戻そうと思ってしまいがちですが、音の上がり下がりの変化は小さなものです。

ˋ 第四声　最初からストンと下げるように発音します（↘）。カラスの鳴き声をイメージしてください。あたまから急激に下げるように発音します。まさにカラスの「カー」の鳴き声そのものです。

[発音練習①　声調] ●CD-2

| mā | má | mǎ | mà | ma |
| lā | lá | lǎ | là | la |

発音編

UNIT 3 単母音 [7種類]
####### たんぼいん

母音だけから成る単母音が6つと、「そり舌音」のerを加えて、ぜんぶで7つあります。

◯ CD-3

a	喉の奥を意識して、日本語の「あ」と同じように発音します。
o	基本的に日本語の「お」の発音ですが、やや口を突き出して発音します。
e	無意識に空けた口の形で、喉の奥の下の方から発声します。舌を反らせないこと。
i	日本語の「い」と同じ要領で発音します。
u	口の形は日本語の「ふ」と同じで、口の先の部分から日本語の「う」と発音します。
ü	舌先を下の歯の裏に付け、口笛を吹くときの口の形をして、意識的に唇に力を入れて発音します。
er	日本語の「アール」を発音する要領で、舌を軽く反らせながら発音します。その際に、舌先が口の上側に付かないようにするのがコツです。

● 「i」「u」「ü」の書き換え

　単母音の「i」「u」「ü」と複合母音、鼻母音の頭文字の「i」「u」「ü」はピンイン表記上、書き換えなければなりません。子音・母音という形に合わせるための書き換えです。

　例えば、「一」の発音は「i」、「五」は「u」、「鱼」は「ü」のように、母音だけで、子音がありません。そこで、i → yi　u → wu　ü → yu と書き換えます。つまり、単母音のiと発音して、yiと書きます。「u」「ü」も同様です。複合母音と鼻母音の頭文字の「i」「u」「ü」の書き換えは単母音と違うので、注意しましょう。

● 単母音の書き換え
　i　→　yi
　u　→　wu
　ü　→　yu

● 複合母音と鼻母音の書き換え
　i　→　y
　u　→　w
　ü　→　yu

［発音練習②　単母音］　● CD-4

ā	á	ǎ	à	a
ī	í	ǐ	ì	i
ū	ú	ǔ	ù	u

UNIT 4　子音 [21種類]

子音は全部で21個あります。子音だけでは音を出せないため、母音と一緒に発音の練習をします。下の「子音の一覧」の（　　）内は母音です。中国では、小学校に入学したら、まず次の子音の表からピンインの勉強を始めます。

発音のコツ　無気音と有気音の違い

- 文字通り、息を出すか出さないかの違いです。
- 無気音は音を強めに出します。
- 有気音は息を音より一瞬先に出します。日本語の「ga」（無気音）と「ka」（有気音）の違いをイメージしてみましょう。

[子音の一覧] ●CD-5

	無気音	有気音	それ以外の音	
両唇音	b(o)	p(o)	m(o)	
りょうしんおん：唇をしっかり閉じた状態から発音します。				
唇歯音			f(o)	
しんじおん：上の歯を自然な感じで下の唇の内側に触れるようにして発音します。				
舌尖音	d(e)	t(e)	n(e)	l(e)
ぜっせんおん：舌先を軽く上の歯の裏に付けた状態から発音します。				
舌根音	g(e)	k(e)	h(e)	
ぜっこんおん：喉の奥から発音します。hはやさしく、そっと発音します。				
舌面音	j(i)	q(i)	x(i)	
ぜつめんおん：舌先にやや力を入れて、jは「ジー」、qは「チー」、xは「シー」と日本語と同じ要領で発音します。				
そり舌音	zh(i)	ch(i)	sh(i)	r(i)
そりじたおん：zhとchの発音の要領は同じです。舌先を上の歯の裏よりやや奥に当てる状態から発音します。声を先に出すのはzh、息を先に出すのはchです。shは舌先がどこにも触れず、口の先から空気を出します。rは舌先を少し上に向かせ、どこにも当たらない状態から発音します。舌を巻きすぎないように気をつけましょう。				
舌歯音	z(i)	c(i)	s(i)	
ぜっしおん：3つとも舌をやや左右に引き、上下の歯の隙間があるかないかの状態で、その隙間から音を押し出すように発音します。				

［発音練習③　有気音と無気音の違い］ ●CD-6

ba	pa	de	te
gu	ku	ji	qi
zha	cha	za	ca

● 日本人が間違いやすい音　●CD-6

zi	zu
ci	cu
si	su

注意： 上にある「z」「c」「s」のそれぞれ2種類の音は日本語の「ず」「つ」「す」と似ているので、注意が必要です。はっきりと区別するには、まず「i」と「u」の単母音を発音してみて、音を確認してから、子音と一緒に発音してみましょう。これで、より正確に発音できるでしょう。

［発音練習④　「子音＋母音」の単語］ ●CD-7

bā	tā	shā	cā
八	他	沙	擦
bí	ní	qí	shí
鼻	泥	旗	十

発音編

UNIT 5 複合母音 [13種類]
ふくごうぼいん

　複合母音は、単母音と単母音の組み合わせでできています。単母音を発音するように、続けてなめらかに発音するのがコツです。全部で13種類あります。

❶ 最初の母音は強く、はっきりと。後の母音はやや軽く発音する。　🔘 CD-8

　　ai　　　ei　　　ao　　　ou

❷ 最初の母音は弱く軽く、後の母音は強くはっきり発音する。

　　ia　　　ie　　　ua　　　uo　　　üe
　　(ya)　 (ye)　 (wa)　 (wo)　 (yue)

❸ 3つの母音を自然になめらかに発音する。

　　iao　　　iou　　　uai　　　uei
　　(yao)　 (you)　　(wai)　　(wei)

　＊（ ）内は書き換えた後のつづりです。

単母音の「e」と複合母音「e」の発音

・母音「e」は、単母音の場合には単母音本来の発音になります。

　　de　　　ke

・母音「e」が他の母音と組み合わさって複合母音になる場合には、日本語の「エ」と発音します。

　　die　　　kei

[発音練習⑤　複合母音だけの単語] ●CD-9

yā	wā	yé	yóu
鸭	蛙	爷	油
wǒ	yǎo	yuè	wài
我	咬	乐	外

[発音練習⑥　「子音 ＋ 複合母音」の単語] ●CD-10

bāo	duō	lái	xiá
包	多	来	霞
hǎo	zǒu	cài	lèi
好	走	菜	泪

発音編

UNIT 6 鼻母音 [16種類]

　鼻母音はぜんぶで16個あり、2系列に分かれています。「n」で終わる鼻母音と「ng」で終わる鼻母音です。

❶「n」で終わる鼻母音の発音のコツ　◉CD-11
　舌先を上の歯の裏に付けて終え、発音を伸ばさないようにします。

an	en	in	ian
		(yin)	(yan)

uan	uen	üan	ün
(wan)	(wen)	(yuan)	(yun)

❷「ng」で終わる鼻母音の発音のコツ
　舌は自然な形でどこにも付きません。喉の奥から鼻のほうに音を響かせるイメージで発音します。

ang	eng	ong	ing
			(ying)

iang	iong	uang	ueng
(yang)	(yong)	(wang)	(weng)

＊（　）内は書き換えた後のつづりです。

注意：「in」と「ing」の書き換えは、前に「y」を付け加えます。

[発音練習⑦　鼻母音だけの単語] ●CD-12

yīn	wān	yún	wáng
音	弯	云	王

yǐng	wǎn	yìn	wàng
影	晚	印	忘

[発音練習⑧　「子音＋鼻母音」の単語] ●CD-13

xīn	zāng	téng	chuáng
心	赃	疼	床

dǒng	qǐng	kàn	tàng
懂	请	看	烫

発音編

yún

UNIT 7 その他の発音のポイント

　ピンインの表記上の注意点や声調の変化、北京語に独特の「儿化」など、ビギナーも知っておきたいルールを最後にまとめて紹介します。

声調符号の付け方

声調符号の付け方にはルールがあります。
① 母音の上に付ける。ただし、鼻母音の「n」「ng」には付けない。
② 母音が2つ以上ある場合、次の優先順位で付けていく。
　　a → o → e → i → u → ü
③ 「i」と「u」が並んでいる場合、優先順位と関係なく、後ろの母音に付ける。
④ 「i」の上に付ける場合、「i」の点を取って付ける。

ピンイン表記のルール

子音「j」「q」「x」の3つの子音に限って、後ろに「ü」があった場合、「ü」のウムラウトの点々を書かないのがルールです。「j」「q」「x」の後に「u」音が続くことはなく、実はすべて「ü」音です。

　　jü　→　jú　　菊
　　qü　→　qǔ　　曲
　　xüe　→　xuě　　雪

子音の後ろある **uei　iou　uen** の「e」「o」は書きません。

　　tuei　→　tuī　　推
　　liou　→　liù　　六
　　yuen　→　yún　　云

「不」と「一」の声調の変化

「不」の声調は本来「bù」ですが、後ろに組み合わさった文字の声調によって変化します。

bù + 第一声	変化なし	bù + 第四声	第二声に変化
bù + 第二声	変化なし	bù + **是** shì	**不是** bú shì
bù + 第三声	変化なし	bù + **去** qù	**不去** bú qù

注意：声調の変化によって、声調符号も変わります。

「一」の声調の変化

「一」の声調は本来「yī」ですが、「不」と同様に後ろに組み合わさった文字によって、声調が変化します。

数字のつぶ読み	変化なし		
単語の最後	変化なし		
yī + 第一声	第四声に変化	yī + 千 qiān	一千 yì qiān
yī + 第二声	第四声に変化	yī + 年 nián	一年 yì nián
yī + 第三声	第四声に変化	yī + 百 bǎi	一百 yì bǎi
yī + 第四声	第二声に変化	yī + 万 wàn	一万 yí wàn

注意：声調の変化によって、声調符号も変わります。

「第三声 + 第三声」の声調変化

2文字の単語がどちらも第三声の場合、最初の第三声を第二声で読みます。つまり、「第三声 + 第三声」→「第二声 + 第三声」となります。ただし、声調符号は変わりません。

你好 nǐ hǎo → ní hǎo と読む
雨伞 yǔ sǎn → yú sǎn と読む

儿化（r 化）

直前の文字（音節）の後に「儿 r」を付けることを儿化（r 化）と言います。直前の母音を発音すると同時に舌をそらせます。会話のときによく使われますが、r 化する文字は少数です。ただし、r 化しても、音節の数が増えるわけではないので注意してください。

花 huā → 花儿 huār
事 shì → 事儿 shìr

UNIT 8 発音の総合練習

具体的な単語を使って発音の総復習をしてみましょう。すべての声調の組み合わせが練習できます。

 CD-14

	一声	二声	三声	四声	軽声
一声	cān guān 参观	fēi cháng 非常	gē qǔ 歌曲	chāo shì 超市	mā ma 妈妈
二声	qián bāo 钱包	zú qiú 足球	cí diǎn 词典	zá zhì 杂志	péng you 朋友
三声	huǒ guō 火锅	qǐ chuáng 起床	shǒu biǎo 手表	kě ài 可爱	xǐ huan 喜欢
四声	xià bān 下班	kè rén 客人	diàn yǐng 电影	zài jiàn 再见	mèi mei 妹妹

> 文法編

第1章

あいさつと名前のたずね方・言い方からスタートしましょう。
よく使う動詞「是」の用法も学習します。

UNIT 1	あいさつの基本 ………………………………………	30
UNIT 2	名前のたずね方と言い方 ……………………………	36
UNIT 3	動詞「是」① 「人＋是＋人の名詞」………………	42
UNIT 4	動詞「是」② 「指示代詞＋是＋物の名詞」………	50
UNIT 5	疑問代詞の「谁」(だれ？) …………………………	58

● CD 15〜CD 34

UNIT 1 あいさつの基本
こんにちは／ありがとう

あいさつはコミュニケーションの第一歩です。「你好」「谢谢」をはじめとして、生活の中でよく使う基本的なものをまず身につけましょう。

● CD-15

❶ Nǐ hǎo. / Nín hǎo.
你 好。 / 您 好。
ニー ハオ　　　ニィン ハオ
↑「あなた」　　↑「あなた」の丁寧な言い方

❷ Xiè xie. / Duō xiè.
谢 谢。 / 多 谢。
シィエ シィエ　　ドゥオ シィエ

❸ Zài jiàn.
再 见。
ヅァイ ヂィエン
↑別れのあいさつの基本

❹ Bié kè qi. / Bú kè qi.
别 客 气。 / 不 客 气。
ビエ カー チー　　ブー カー チー

❺ Duì bu qǐ.
对 不 起。
ドゥイ ブー チー
↑応答は「没关系」がふつう

> ✓ **学習のポイント**
>
> ◉ 基本的な中国語のあいさつを身につける
> ◉ 相手のあいさつに応対する

❶ こんにちは。
＊「你」は「あなた」の一般的な言い方です。「您」は「你」の尊敬語に当たります。文中の「你」を「您」に変えるだけで、言葉づかいは丁寧になります。「您好」は「你好」の尊敬語です。

❷ ありがとうございます。
＊「谢谢」と「多谢」は同じような意味で、「多」が付いているから感謝するレベルが上がるというわけではありません。また、2つの言葉の後ろに感謝を表す相手を付け加えることができます。「谢谢你」「谢谢田中」「多谢部长」などと言えます。

❸ さようなら。
＊「再见」は最もポピュラーな別れのあいさつです。

❹ どうぞ、ご遠慮なく。
＊「别客气」と「不客气」は同様の意味です。

❺ 申し訳ありません。
＊「对不起」は主に謝るときに使いますが、相手に声をかけるときに使うこともあります。応答は「没关系」がよく使われます。

中国人のあいさつ

　中国では、基本的なあいさつは「你好」です。しかし、近所の人や会社の同僚など、いつも会う人の間では「你好」はあまり使いません。

　中国人のあいさつは何でもありと言っても過言ではないほど多様です。例えば、会社で上司を見かけたら、課長、部長と肩書きで声をかけるのもあいさつであり、また、近所の人に対して、相手の様子などを見て、「お出かけですか」「買い物ですか」と声をかけるのも立派なあいさつです。声をかけられる側はそれに応答すればあいさつを交わしたことになります。その時々の相手の状況や様子に合わせて声をかけるのが中国流のあいさつなのです。

中国語の文法公式を覚えよう

公式 1　中国語の基本的なあいさつ　●CD-16

　あいさつの言葉は、文法や文型などを気にしないで、どの場面でどのような人に使うのか、相手のあいさつにどのように応対すればいいのかを意識しましょう。発音はできる限りCDの発音に近づけるように練習しましょう。

Hǎo jiǔ bú jiàn le。
好久不见了。（お久しぶりです）

Nǐ shēn tǐ hǎo ma?
你身体好吗?（お元気ですか）

Xiè xie, wǒ hěn hǎo。
谢谢，我很好。（ありがとう、私は元気です）

✓「你身体好吗?」は毎日会う人に使うのではなく、しばらく会っていない人に対して使うあいさつです。「好久不见了,你身体好吗?」と一緒に使えば完璧です。「谢谢,我很好」と応答します。

Má fan nǐ le。
麻烦你了。（お願いします／お手数をおかけします）

✓「麻烦你了」は「面倒をかける」「お手数をおかける」という意味です。また相手に何かをお願いするときに、もしくは、お願いした後にお礼の言葉として使います。応答の言葉は「别客气」「不客气」「没关系」のどれでも大丈夫です。

Méi guān xi。
没关系。（大丈夫です／気にしないでください）

Bù hǎo yì si。
不好意思。（ごめんなさい／恐れ入ります）

✓「不好意思」は日本語の「ごめんなさい」という感じの言葉です。お礼とお詫びの両方の意味を持ち、比較的気軽に使える言葉です。応答の言葉は「别客气」「不客气」「没关系」のどれでも大丈夫です。

Xīn kǔ le。
辛苦了。（ご苦労様です）

✓「辛苦了」は同年配の間で、もしくは目上の人が目下の人に使う、ねぎらいの言葉です。応答は「别客气」「不客气」「没关系」です。

Qǐng shāo děng。　　Qǐng děng yí xià。
请 稍 等。／请 等 一 下。(少々お待ちください)

Ràng nín jiǔ děng le。
让 您 久 等 了。(お待たせしました)

Nín xiān qǐng。
您 先 请。(お先にどうぞ)

Wǒ xiān zǒu le。
我 先 走 了。(お先に失礼します)

✓「我先走了」は自分が今の場所から離れるときに使う言葉です。

Qǐng màn zǒu。
请 慢 走。(気をつけてお帰りください)

✓「请慢走」は直訳すると、「ゆっくりお帰りください」という意味ですが、別れるときに相手のことを気遣う表現です。

Zhù nǐ yí lù píng ān。
祝 你 一 路 平 安。(道中ご無事で)

✓「祝你一路平安」も別れるときのあいさつです。ただ、相手が帰省、旅行、留学などで遠方に出かけるときだけに使います。

Chū cì jiàn miàn, qǐng duō guān zhào。
初 次 见 面，请 多 关 照。
(はじめまして、どうぞよろしくお願いします)

✓「初次见面，请多关照」は初対面のときのあいさつです。初対面でない場合には「请多关照」だけを単独で使うこともできます。

Jiàn dào nǐ, wǒ hěn gāo xìng。
见 到 你，我 很 高 兴。(お会いできて、嬉しいです)

超かんたん　10分間エクササイズ

1 次のピンインを中国語の簡体字に書き直し、また日本語に訳してみましょう。

① nǐ hǎo
_____

② xiè xie
_____

③ duì bu qǐ
_____

④ bié kè qi
_____

2 次の中国語にピンインをつけ、また日本語に訳してみましょう。

① 没关系。　_____

② 辛苦了。　_____

③ 请多关照。　_____

④ 好久不见了。　_____

3 次のあいさつの応答を書いてみましょう。

① 谢谢。
_____

② 麻烦你了。
_____

③ 您先请。
_____

④ 你身体好吗？
_____

正解・解説

1

① 你好。　　　　　　　　こんにちは。
② 谢谢。　　　　　　　　ありがとうございます。
③ 对不起。　　　　　　　申し訳ありません。
④ 别客气。　　　　　　　どうぞ、ご遠慮なく。

2

① méi guān xi　　　　　　気にしないでください。
② xīn kǔ le　　　　　　　　お疲れ様でした。
③ qǐng duō guān zhào　　　どうぞ、よろしくお願いします。
④ hǎo jiǔ bú jiàn le　　　　お久しぶりです。

3

① 不谢。/ 不客气。/ 没关系。
② 不客气。/ 别客气。/ 没关系。
③ 谢谢。/ 不好意思。
④ 谢谢，我很好。

＊「别客气」「不客气」「没关系」はお礼とお詫びのいずれの応答の言葉としても使えるので、自分の使いやすいものを1つ選んでおいて、すらすらと言えるように練習しましょう。

UNIT 2 名前のたずね方と言い方
お名前は何と言いますか

名前のたずね方と言い方には決まったパターンがあります。どの年代の人に対して、どのようなパターンを使うのかを覚えておきましょう。

● CD-17

❶ **您 贵 姓？**
Nín guì xìng?
ニィン グゥイ シィン
↑姓をたずねる

❷ **免贵，我姓李，叫李小梅。**
Miǎn guì, wǒ xìng Lǐ, jiào Lǐ xiǎo méi.
ミィエン グゥイ　ウオ　シィン　リー　ヂィアオ　リー　シィアオ　メイ
↑謙遜の表現　↑姓を言う　↑姓・名前を言う

❸ **你叫什么名字？**
Nǐ jiào shén me míng zi?
ニー　ヂィアオ　シェン　マ　ミン　ヅ

❹ **我叫田中一郎。**
Wǒ jiào Tián zhōng yī láng.
ウオ　ヂィアオ　ティエン　ヂォン　イー　ラン

❺ **初次见面，请多关照。**
Chū cì jiàn miàn, qǐng duō guān zhào.
チゥー　ツー　ヂィエン　ミィエン　チィン　ドゥオ　グゥアン　ヂャオ
↑「はじめまして」に相当　↑「どうぞよろしくお願いします」に相当

✓ 学習のポイント

- 名前のたずね方・言い方を身につける
- 人称代詞(人を指す代名詞)を覚える

您 贵 姓？

❶ お名前は何とおっしゃいますか。
❷ 私は李です、李小梅と申します。
❸ お名前は何と言いますか。
❹ 私は田中一郎と言います。
❺ はじめまして、どうぞよろしくお願いします。

本文単語　CD-18

- 您 nín　あなた様　＊二人称。「你」の尊敬語。
- 姓 xìng　～と言う　＊姓を言う際に使う。
- 我 wǒ　私　＊一人称。
- 叫 jiào　～と言う　＊名前やフルネームを言う際に使う。
- 什么 shén me　何、どんな
- 初次 chū cì　初めて、初回
- 请 qǐng　どうぞ～してください
- 关照 guān zhào　面倒を見る、世話をする
- 贵 guì　相手への敬意を表す
- 免 miǎn　免ずる、免除する
- 名字 míng zi　名前
- 见面 jiàn miàn　会う、出会う
- 多 duō　多い

補充単語

- 小 xiǎo　～さん　＊自分より年下の人に使う。姓の前に付ける。
- 老 lǎo　～さん　＊自分より年上の人に使う。姓の前に付ける。
- 女士 nǚ shì　～さん　＊女性の敬称。姓の後に付ける。
- 先生 xiān sheng　～さん　＊男性の敬称。姓の後に付ける。

中国語の文法公式を覚えよう

●CD-19

公式2 名前のたずね方には2通りある

　中国語の名前のたずね方は、丁寧なものと一般的なものとの2通りがあります。
　名前の答え方も2通りありますが、こちらは丁寧さのレベルに差はありません。1つ目は、フルネームで答える方法です。2つ目は、先に姓を言って、その後でフルネームもしくは下の名前だけ言う方法です。

❶ 丁寧なたずね方

質問　　Nín guì xìng?
　　　　您贵姓？（お名前は何とおっしゃいますか）

応答1　Miǎn guì, wǒ xìng Zuǒ téng.
　　　　免贵，我姓佐藤。（佐藤と申します）

応答2　Miǎn guì, wǒ xìng Zuǒ téng, jiào Zuǒ téng tài láng.
　　　　免贵，我姓佐藤，叫佐藤太郎。
　　　　（佐藤です、佐藤太郎と申します）

❷ 一般的なたずね方

質問　　Nǐ jiào shén me míng zi?
　　　　你叫什么名字？（お名前は何と言いますか）

応答1　Wǒ xìng Zuǒ téng, jiào Zuǒ téng tài láng.
　　　　我姓佐藤，叫佐藤太郎。
　　　　（佐藤です。佐藤太郎と言います）

応答2　Wǒ jiào Zuǒ téng tài láng.
　　　　我叫佐藤太郎。（佐藤太郎と言います）

● **相手への呼びかけ**

相手に呼びかける際は、親しい間柄であれば男女を問わず、自分より年下の人に対しては姓の前に「小」を付け「小李」、自分より年上の人に対しては姓の前に「老」を付け「老李」と呼びかけます。

また、一般的な敬称として、女性に対しては姓の後ろに「女士」、男性に対しては姓の後ろに「先生」を付けます。あるいは、「女士」「先生」だけで呼びかけることもあります。「小」「老」「女士」「先生」はすべて「○○さん」と訳してかまいません。

公式 3 「人称代詞」は主語も目的語も同じ

CD-20

中国語の人称代詞は、主語も目的語も同じ形のものを使います。「们」を付ければ複数形になります。

	単数	複数
一人称	我 wǒ（私）	我们 wǒ men（私たち）
二人称	你 nǐ（あなた）	你们 nǐ men（あなたたち）
	您 nín（あなた様）	您们 nín men（みなさま方）
三人称	他 tā（彼）	他们 tā men（彼ら）
	她 tā（彼女）	她们 tā men（彼女たち）
	它 tā（それ、あれ）	它们 tā men（それら、あれら）
不定称	谁 shéi / shuí（誰、どなた）	

- ✓「你」は「あなた」の一般的な言い方です。
- ✓「您」は「あなた様」で、目上の人に使う丁寧な言い方です。日本語の尊敬語に当たります。文中にある「你」を「您」に変えるだけで相手を敬う丁寧な言い方になります。例えば：「谢谢你」→「谢谢您」
- ✓「它」は人間以外の、動物や物に使います。
- ✓ すべての単数の後ろに「们」を付け加えるだけで複数になります。これに例外はありません。
- ✓「他」と「她」の発音は同じなので、発音だけでは性別の判断はできません。他の言葉から判断するしかありません。

超かんたん　10分間エクササイズ

1 次のピンインを中国語の簡体字に書き直し、また日本語に訳してみましょう。

① Wǒ jiào Lǐ xiǎo méi。
_____

② Wǒ xìng Tián zhōng。
_____

③ Wǒ xìng Tián zhōng, jiào Tián zhōng yī láng。
_____

④ Qǐng duō guān zhào。
_____

2 下の_____に適切な言葉を入れ、文を完成させ、また日本語に訳してみましょう。

① 免_____, 我姓李。　　　　　_____

② 你_____什么名字？　　　　　_____

③ 他_____田中。　　　　　　　_____

④ 她_____李小梅。　　　　　　_____

3 次の日本語の文を中国語に訳してみましょう。

① 田中さん（男性）、こんにちは。
_____

② 李さん（女性）、お久しぶりです。
_____

③ はじめまして、どうぞよろしく。
_____

④ お会いできて、嬉しいです。
_____

正解・解説

1

① 我叫李小梅。　　　　　　私は李小梅と言います。
② 我姓田中。　　　　　　　私は田中です。
③ 我姓田中, 叫田中一郎。　　田中です。田中一郎と言います。
④ 请多关照。　　　　　　　どうぞよろしくお願いします。

2

① 贵　　　　　私は李と言います。
② 叫　　　　　お名前は何と言いますか。
③ 姓　　　　　彼は田中さんです。
④ 叫　　　　　彼女は李小梅と言います。

3

① 田中先生, 您好。
　＊「先生」は男性に使う敬称で、「〇〇さん」という意味。
② 李女士, 好久不见了。
　＊「女士」は女性に使う敬称で、「〇〇さん」という意味。
③ 初次见面, 请多关照。
　＊冒頭に「先生」または「女士」を付け加えてもいいです。
④ 见到你, 我很高兴。

「免贵」の使い方

　「贵」は相手を敬う尊敬語です。「免贵」には、自分が「贵」を使ってもらうほどの者ではないという謙遜の意味があり、日本語の謙譲語に似た言い方です。しかし、日本語には「免贵」に対応する表現はないので、うまく訳すことはできません。「您贵姓?」で名前をたずねられた場合には、まず「免贵」とひと言付け加えてから名前を伝えるのが非常に礼儀正しい応答です。特に外国人がこれを使いこなせれば、好感度アップ間違いなし！ぜひ使えるようにしておきましょう。

UNIT 3 動詞「是」① 「人 + 是 + 人の名詞」
私は～です。

「是」は「～は～だ」「～は～である」という意味を表す動詞です。「是」は中国語の文をつくる基軸になります。この UNIT では、「是」を使った肯定形、否定形、疑問形を学びましょう。

● CD-21

❶ **你 是 日本 人 吗？**
Nǐ shì Rì běn rén ma?
ニー シー リー ベン レン マ
　　↑「～は～だ」を表す　　↑疑問文は文末に「吗」を付けるだけ

❷ **是，我 是 日本 人。**
Shì, wǒ shì Rì běn rén.
シー ウォ シー リー ベン レン
↑肯定の返答には「是」を使う

❸ **不 是，我 不 是 日本 人。**
Bú shì, wǒ bú shì Rì běn rén.
ブー シー ウォ ブー シー リー ベン レン
↑否定の返答には「不是」を使う

❹ **你 是 医 生 吗？**
Nǐ shì yī shēng ma?
ニー シー イー ション マ

❺ **是，我 是 医 生，他 也 是 医 生。**
Shì, wǒ shì yī shēng, tā yě shì yī shēng.
シー ウォ シー イー ション ター イエ シー イー ション
　　　　　　　　　　　　　　　↑「～も～」の意味を表す

✓ 学習のポイント

- 「人 + 是 + 人の名詞」(～は～だ、～は～である)
- 副詞の「也」(～も)

我 是 日 本 人。

❶ あなたは日本人ですか。
❷ はい、私は日本人です。
❸ いいえ、私は日本人ではありません。
❹ あなたはお医者さんですか。
❺ はい、私は医者です。彼も医者です。

本文単語　⦿ CD-22

- 是 shì　～は～だ／～は～である
- 吗 ma　～ですか　＊疑問を表す。
- 医生 yī shēng　医者
- 日本人 Rì běn rén　日本人
- 不 bù　いいえ　＊否定を表す。
- 也 yě　～も　＊同じ事柄を表す。

補充単語

- 中国人 Zhōng guó rén　中国人
- 去年 qù nián　去年
- 今年 jīn nián　今年
- 律师 lǜ shī　弁護士
- 司机 sī jī　運転手
- 老师 lǎo shī　教師、(学校の)先生
- 学生 xué sheng　学生
- 护士 hù shi　看護士、看護婦
- 美国人 Měi guó rén　アメリカ人
- 公司职员 gōng sī zhí yuán　会社員

UNIT 3

43

中国語の文法公式を覚えよう

公式 4 「是」はイコールでつなぐ　●CD-23

　「是」は左右の言葉をつなぎ、「～は～だ」「～は～である」と両者が同一であることを表します。しかし、日本語のすべての「～は～だ」「～は～である」が「是」で表現できるとは限りません。
　日本語の「～は～だ」「～は～である」のほうが使い道が広いということです。中国語の「是」はあくまでも左右がイコールであるときだけに使えます。また、主語の人称の単数・複数によって「是」の形が変わることはありません。

（人＋是＋人の名詞）　～は～だ。／～は～である。

Wǒ shì Zhōng guó rén。
我是中国人。
（私は中国人です）

Wǒ bú shì Zhōng guó rén。
我不是中国人。
（私は中国人ではありません）
✓「是」の否定は「是」の前に「不」を付け加えます。

Nǐ shì Zhōng guó rén ma?
你是中国人吗？
（あなたは中国人ですか）
✓ 文末に「吗」を付け加え、疑問を表します。

Lǎo shī shì Zhōng guó rén。
老师是中国人。
（先生は中国人です）
✓ 主語は人称代詞以外でも大丈夫です。

●「是」のアスペクト

アスペクトとは「時制」のことです。動詞が表す内容の時間的位置、つまり、「過去」「現在」「未来」などを指します。日本語の時制は動詞の変化によって表しますが、中国語の「是」という動詞は、過去・現在・未来のどの時制でも同じです。過去・現在・未来を表す場合には、文頭に時間を表す言葉を付け加えます。とても簡単です。

Qù nián xiǎo Lǐ　shì　xué sheng。
去年小李是学生。
（去年、李さんは学生でした）

Jīn nián Xiǎo Lǐ　shì　lǎo shī。
今年小李是老师。
（今年、李さんは先生です）

✓ つまり、「去年」と「今年」という言葉で時期を判断するわけです。

UNIT 3

「不」の声調は変化する

中国語では一部に、2つ以上の発音をもつ文字があります。こうした文字を「多音字」と言います。声調だけ違う文字もあれば、まったく異なる発音をもつ文字もあります。「不」は声調だけが変わるものです。

「不」は本来「bù」と第四声ですが、後ろの声調によって「不」の声調が変化します。初級の段階は「不 + 動詞」を1つの単語として覚えておくと便利でしょう。ここでは、まず「不是　bú shì」を覚えておきましょう。

公式 5 「吗」(～か?)は疑問文をつくる ●CD-24

「吗」を使う疑問文を諾否疑問文と言います。「吗」は相手に肯定か、否定かを求めます。「吗」を必ず文末に付けます。また、肯定文と否定文の両方に使えます。

Tā shì Zhōng guó rén ma?
他是中国人吗?
（彼は中国人ですか）

Tā bú shì Zhōng guó rén ma?
他不是中国人吗?
（彼は中国人ではありませんか）

● 簡単な答え方

中国語には、日本語の「はい」「いいえ」、英語の「yes」「no」のように簡潔に答える言葉がありません。文末に「吗」を用いる諾否疑問文に簡潔に答える場合、必ず疑問文にある動詞を使って肯定あるいは否定で答えなければなりません。

Nǐ shì Rì běn rén ma?
你是日本人吗?（あなたは日本人ですか）

Shì, wǒ shì Rì běn rén。
是，我是日本人。（はい、私は日本人です）

Bú shì, wǒ bú shì Rì běn rén。
不是，我不是日本人。（いいえ、私は日本人ではありません）

✓「是」は動詞で、「不是」はその否定です。

公式 6 「也」(〜も)は同じことを言うのに使う

●CD-25

副詞の「也」は前に言ったことと同じ事柄を表すときに使います。副詞は原則として動詞の前に置くのがルールです。

> 人 + 也 + 是 + 人の名詞 〜も〜だ。／〜も〜である。

Tā shì hù shi, wǒ yě shì hù shi.
她是护士，我也是护士。
（彼女は看護士で、私も看護士です）

Xiǎo Lǐ bú shì lǜ shī, Xiǎo wáng yě bú shì lǜ shī.
小李不是律师，小王也不是律师。
（李さんは弁護士ではありません、王さんも弁護士ではありません）

✓ 否定の場合、「也」は否定の言葉の前に置きます。

「也」のここに注意！

日本語や英語の場合、「私も」や「Me too.」だけで完結した言い方ができますが、中国語では「我也」だけでは不十分です。後に必ず動詞が必要です。つまり「我也是」という形にしないといけないので、注意しましょう。

中国マメ知識①

漢字の文字数

中国には、漢字の数が少なくとも約8万5千字あると言われています。現在通用している漢字でも約1万あります。そして、小学校を卒業するまでに、このうちの3500字を覚えなければならないと定められているのです。いずれにしても漢字を覚えるには非常に多くの時間がかかります。ちなみに、新聞が読めるには、3千〜5千字を知っていることが必要と言われています。

超かんたん　10分間エクササイズ

1 次のピンインを中国語の簡体字に書き直し、また日本語に訳してみましょう。

① Nǐ shì Rì běn rén ma?
　_____

② Bú shì, wǒ bú shì Rì běn rén。
　_____

③ Tā shì yī shēng。
　_____

④ Wǒ yě shì yī shēng。
　_____

2 次の単語を正しい順番に並べ替えて文を完成させ、また日本語に訳しましょう。

① 是　我　美国人　不　_____。

② 姓　他　是　日本人　田中　_____。

③ 司机　也　吗　你　是　_____？

④ 他　公司职员　也　是　不　_____。

3 次の日本語の文を中国語に訳してみましょう。

① 先生はアメリカ人です。
　_____

② 田中さんは日本人です。佐藤さんも日本人です。
　_____

③ 彼女は李小梅と言います。中国人です。
　_____

④ お会いできて、私も嬉しいです。
　_____

正解・解説

1

① 你是日本人吗? あなたは日本人ですか。
② 不是, 我不是日本人。 いいえ、私は日本人ではありません。
③ 她(他)是医生。 彼女(彼)はお医者さんです。
　＊「她」と「他」の発音は同じです。
④ 我也是医生。 私も医者です。

2

① 我不是美国人。 私はアメリカ人ではありません。
② 他姓田中, 是日本人。 彼は田中さんと言います、日本人です。
　または
　他是日本人, 姓田中。 彼は日本人です。田中さんと言います。
③ 你也是司机吗? あなたも運転手ですか。
④ 他也不是公司职员。 彼も会社員ではありません。
　＊「也」は動詞の前に置きます。否定辞がある場合には否定辞の前に置きます。

3

① 老师是美国人。
② 田中是日本人, 佐藤也是日本人。
③ 她叫李小梅, 是中国人。
④ 见到你, 我也很高兴。

UNIT 4 動詞「是」② 「指示代詞 + 是 + 物の名詞」
これは何ですか

UNIT 3 で学習した「是」を指示代詞といっしょに使ってみましょう。「これは〜だ」「あれは〜だ」と言えるようになります。疑問代詞「什么」（何？）を使った文も練習しましょう。

 CD-26

❶ Zhè shì shén me?
这 是 什 么？
ヂァー シー シェン マ
↑指示代詞「これ」 ↑疑問代詞「何？」

❷ Zhè shì chē.
这 是 车。
ヂァー シー チャー

❸ Zhè shì shén me chē?
这 是 什 么 车？
ヂァー シー シェン マ チャー
↑名詞が続くと「どんな〜？」

❹ Zhè shì Měi guó de chē.
这 是 美 国 的 车。
ヂァー シー メイ グゥオ ダ チャー

❺ Nà shì Rì běn de chē.
那 是 日 本 的 车。
ナー シー リー ベン ダ チャー
↑指示代詞「それ、あれ」

✓ 学習のポイント

- 「指示代詞 + 是 + 物の名詞」（これは〜だ）
- 指示代詞の「这」（これ）、「那」（それ、あれ）、「哪」（どれ？）
- 疑問代詞の「什么」（何？）
- 「〜的〜」（〜の〜）

那 是 日 本 的 车。

❶ これは何ですか。
❷ これは車です。
❸ これはどんな車ですか。
❹ これはアメリカの車です。
❺ あれは日本の車です。

本文単語 ● CD-27

- 这 zhè　これ、この　*指示代詞
- 车 chē　車、乗用車
- 那 nà　それ、その、あれ、あの
- 什么 shén me　何、どんな
- 的 de　〜の〜
- 日本 Rì běn　日本

補充単語

- 皮包 pí bāo　バッグ
- 钱包 qián bāo　財布
- 古典 gǔ diǎn　古典
- 舞蹈 wǔ dǎo　舞踊、ダンス
- 现代 xiàn dài　現代
- 背包 bēi bāo　リュック
- 音乐 yīn yuè　音楽
- 歌曲 gē qǔ　歌、歌謡曲
- 流行 liú xíng　流行、流行る
- 眼镜 yǎn jìng　メガネ

中国語の文法公式を覚えよう

公式7 「指示代詞(しじだいし)」は物や場所を示す ●CD-28

　指示代詞とは、物や場所を指し示す名詞の代わりの言葉で、中国語では「这」「那」「哪」です。それぞれ、物の場合は「これ」「それ、あれ」「どれ」、場所の場合には「ここ」「そこ、あそこ」「どこ」という意味になります。

这 zhè　（これ、この）

那 nà　（それ、その、あれ、あの）

哪 nǎ　（どれ、どの）

✓「这」は「これ、この」の意味で、話し手に近い人や物・事を指すときに使います。会話のときには「zhèi」とも発音します。

✓「那」は「それ、その、あれ、あの」の意味で、話し手から比較的遠い人や物・事を指すときに使います。会話のときには「nèi」とも発音します。

✓ 複数はそれぞれ次のようになります。

（複数）

这 → 这些 zhè xiē

那 → 那些 nà xiē

哪 → 哪些 nǎ xiē

（指示代詞 ＋ 是 ＋ 物の名詞）　これは～だ。／あれは～だ。

Zhè shì pí bāo.
这是皮包。（これはバッグです）

Zhè bú shì pí bāo.
这不是皮包。（これはバッグではありません）

Zhè shì pí bāo ma?
这是皮包吗？（これはバッグですか）

● 「这」「那」「哪」は主語として使います。

　　Zhè shì pí bāo。
　　这是皮包。○

　　皮包是这。×

● 「这」「那」「哪」は人を表すときにも使います。

　　Zhè shì lǜ shī。
　　这是律师。（こちらは弁護士です）

● 複数も使い方は同様です。

　　Zhè xiē shì shén me?
　　这些是什么？（これらは何ですか）

　　Zhè xiē shì bēi bāo。
　　这些是背包。（これらはリュックです）

中国語の疑問文の特徴

　中国語の疑問文は、ごく少数の例外を除いて、必ず疑問を表す言葉が必要です。そして、その疑問を表す言葉は1つのみです。となると、どれが疑問を表す言葉であるかをあらかじめ覚えておかないと、疑問の言葉がなかったり、2つになってしまったりする問題が生じます。例えば、疑問代詞を使う場合には、諾否疑問の「吗」があってはいけません。

公式 8 疑問代詞の「什么」は「何、どんな」を聞く

CD-29

「什么」は「何、どんな」という意味を表します。物・事をたずねるときに使うので、物・事の名前で答えます。「什么」は疑問代詞なので、答える場合には「什么」を答えの言葉に入れ替えます。他の箇所はそのままです。

❶ 単独で使う

Zhè shì shén me?
这 是 什么？
（これは何ですか）

Zhè shì qián bāo。
这 是 钱包。
（これは財布です）

Zhè xiē shì shén me?
这 些 是 什么？
（これらは何ですか）

Zhè xiē shì qián bāo。
这 些 是 钱包。
（これらは財布です）

❷ 名詞の前に置き、「どんな」「どのような」の意味を表す

Zhè shì shén me yīn yuè?
这 是 什么 音乐？
（これはどんな音楽ですか）

Zhè shì gǔ diǎn yīn yuè。
这 是 古典 音乐。
（これはクラシック音楽です）

● 助詞「的」の使い方

名詞と名詞の間に入り、修飾関係や所有関係を表します。

> 名詞 ＋ 的 ＋ 名詞　　～の～

Rì běn de gē qǔ
日本 的 歌曲
（日本の歌）

疑問代詞とは？

　疑問代詞とは、「誰」「何」「いくつ」「どこ」「いつ」「どのように」（5W1H）などの疑問を表す言葉を指します。

　疑問代詞が入っている疑問文に答える場合には、疑問代詞のところを答えの言葉に置き換えるだけです。他の部分はそのままでOKです。

shéi
谁（誰）

Shéi jiào Tián zhōng?
谁叫田中？（誰が田中さんという人ですか）

shén me
什么（何）

Zhè shì shén me?
这是**什么**？（これは何ですか）

jǐ
几（いくつ）

Nǐ yǒu jǐ ge mèi mei?
你有**几**个妹妹？
（あなたは妹が何人いますか）

nǎr
哪儿（どこ）

Nǐ jiā zài nǎr?
你家在**哪儿**？（お家はどこですか）

shén me shí hou
什么时候（いつ）

Tā shén me shí hou lái?
他**什么时候**来？
（彼はいつ来ますか）

zěn me
怎么（どのように）

Nǐ zěn me qù?
你**怎么**去？
（あなたはどのように行きますか）

UNIT 4

超かんたん　10分間エクササイズ

1 次のピンインを中国語の簡体字に書き直し、また日本語に訳してみましょう。

① Zhè shì shén me?

② Nà shì chē。

③ Zhè shì shén me chē?

④ Nà bú shì Rì běn de chē。

2 次の文の間違いを訂正してみましょう。

① 他是学生，我也。

② 那是什么舞蹈吗？

③ 流行音乐是这。

④ 你是什么的老师？

3 次の日本語の文を中国語に訳してみましょう。

① あちらは佐藤さん（男性）です。

② これは現代音楽ですか。

③ どれが日本の歌ですか。

④ あれは私のメガネではありません。

正解・解説

1

① 这是什么?　　　　　　これは何ですか。
② 那是车。　　　　　　　あれは車です。
③ 这是什么车?　　　　　これはどんな車ですか。
④ 那不是日本的车。　　　あれは日本の車ではありません。

2

① 他是学生, 我也是。
＊「也」の後ろの動詞を省略することはできません。

② 那是什么舞蹈?
＊疑問文には疑問を表す言葉が1つのみというルールがあります。「什么」は疑問を表す疑問代詞なので、諾否疑問の「吗」は必要ありません。

③ 这是流行音乐。
＊「这」「那」「哪」は主語のみに使います。

④ 你是什么老师?
＊「什么」と名詞の間に「的」は必要ありません。

3

① 那是佐藤先生。
＊「这」「那」「哪」は人を指すこともできます。

② 这是现代音乐吗?

③ 哪是日本的歌曲?
＊「哪」は疑問を表す疑問代詞です。「吗」は必要ありません。

④ 那不是我的眼镜。
＊「的」は名詞と名詞の間に入れ、所有関係を表します。

UNIT 5 疑問代詞の「谁」(だれ？)

どなたが中国語の先生ですか

疑問代詞「谁」と省略疑問を表す「呢」は会話でよく使います。また、数字の言い方は日常生活に欠かせないものなので、このUNITでしっかり覚えておきましょう。

🔴 CD-30

❶ 谁 是 汉 语 老 师？
Shéi shì Hàn yǔ lǎo shī?
シェイ シー ハン ユイ ラオ シー
↑疑問代詞「だれ？」

❷ 汉 语 老 师 是 谁？
Hàn yǔ lǎo shī shì shéi?
ハン ユイ ラオ シー シー シェイ

❸ 这 是 谁 的 手 机？
Zhè shì shéi de shǒu jī?
ヂャー シー シェイ ダ ショウ ヂー
↑「谁＋的」で「だれの～？」

❹ 这 是 我 的 手 机。
Zhè shì wǒ de shǒu jī.
ヂャー シー ウオ ダ ショウ ヂー

❺ 他 是 英 语 老 师，你 呢？
Tā shì Yīng yǔ lǎo shī, nǐ ne?
ター シー イン ユイ ラオ シー ニー ナ
名詞の後に置いて、省略疑問文をつくる↑

✓ 学習のポイント

- 疑問代詞の「谁」（だれ？）
- 省略疑問文の「呢」（〜は？）
- 数字の言い方を身につける

谁是汉语老师？

❶ どなたが中国語の先生ですか。
❷ 中国語の先生はどなたですか。
❸ これはどなたの携帯電話ですか。
❹ これは私の携帯電話です。
❺ 彼は英語の先生ですが、あなたは？

本文単語　 CD-31

- 谁 shéi (shuí)　誰、どなた
- 老师 lǎo shī　教師、(学校の)先生
- 英语 Yīng yǔ　英語
- 汉语 Hàn yǔ　中国語
- 手机 shǒu jī　携帯電話
- 呢 ne　〜は？　＊省略疑問を表す。

補充単語

- 杂志 zá zhì　雑誌
- 报纸 bào zhǐ　新聞
- 遮阳伞 zhē yáng sǎn　日傘
- 日语 Rì yǔ　日本語
- 笔记本 bǐ jì běn　ノート
- 词典 cí diǎn　辞書
- 雨伞 yǔ sǎn　傘
- 手绢 shǒu juàn　ハンカチ
- 书 shū　本、書物
- 智能手机 zhì néng shǒu jī　スマートホン

UNIT 5

中国語の文法公式を覚えよう

公式 9 疑問代詞の「谁」は人についてたずねる

CD-32

「谁」は疑問代詞で、人についてたずねるときに使います。人の名前や肩書、職業などで答えます。

❶ 単独で使う

主語としても、「是」の後でも使えます。

Shéi shì Lǐ lǎo shī?
谁 是 李 老 师? （どなたが李先生ですか）

Lǐ lǎo shī shì shéi?
李 老 师 是 谁? （李先生はどなたですか）

「谁」に複数形はありません。単数でも複数でも使えます。

Tā shì shéi?
他 是 谁? （彼はどなたですか）

Tā men shì shéi?
他 们 是 谁? （彼らはどんな人たちですか）

❷ 名詞の前に置く場合は、後ろに「的」を付ける

Zhè shì shéi de zá zhì?
这 是 谁的 杂 志? （これはどなたの雑誌ですか）

Nà shì shéi de cí diǎn?
那 是 谁的 词 典? （あれはどなたの辞書ですか）

Zhè shì shéi de?
这 是 谁的? （これは誰のものですか）

✓ 指す名詞が何か話者同士ではっきりとわかる場合には、「的」の後ろの名詞を省略してもかまいません。

❸ 名詞の前に置く「谁」と「什么」の違い

◉「谁」の後ろは「的」が必要。 谁 ＋ 的 ＋ 名詞

Zhè shì shéi de bào zhǐ?
这是谁的报纸?（これはどなたの新聞ですか）

◉「什么」の後ろは「的」が不要。 什么 ＋ 名詞

Zhè shì shén me bào zhǐ?
这是什么报纸?（これはどんな新聞ですか）

公式 10 省略疑問文の「呢」（～は？） ●CD-33

「呢」は名詞の後に置き、前文の述語を省略した疑問文をつくります。前文が肯定文でも否定文でも同じように使えます。

Wǒ xìng Lǐ, nǐ ne?
我姓李，你呢?（私は李と申しますが、あなたは？）

Tā bú shì lǜ shī, Tián zhōng xiān sheng ne?
他不是律师，田中先生呢?
（彼は弁護士ではありませんが、田中さんは？）

◉「吗」と「呢」の使い方

両者はどちらも文の最後の位置に置きますが、前の部分がそれぞれ違います。

① 「吗」の前は必ず文です。

Nín shì Wáng lǎo shī ma?
您是王老师吗?（王先生でいらっしゃいますか）

② 「呢」の前は必ず名詞です。

Wǒ shì lǎo shī, nín ne?
我是老师，您呢?（私は先生ですが、あなたは？）

「呢」は単独で使う場合、「〜はどこですか」「〜を見かけませんでしたか」という意味を表します。

Wáng lǎo shī ne?
王老师呢？（王先生はどこですか）

Wǒ de yǔ sǎn ne?
我的雨伞呢？（私の傘を見かけませんでしたか）

公式11 数字の言い方　CD-34

11〜99までは、1〜10の数字をそのまま並べるだけで表せます。

líng	yī	èr	sān	sì	wǔ
0	1	2	3	4	5

liù	qī	bā	jiǔ	shí
6	7	8	9	10

shí yī	shí èr	shí sān	èr shí
11	12	13	20

èr shi wǔ	qī shi bā	jiǔ shi jiǔ
25	78	99

✓ 2桁を表す「十 shí」は、前か後ろに数字がある場合には、「shí」と発音します。例えば、15「shí wǔ」、30「sān shí」。ただし、前後を数字にはさまれている場合には、軽声「shi」で発音します。例えば、35「sān shi wǔ」。

◉ 数字「二」の言い方

中国語の1桁の2は「二 èr」と「两 liǎng」という2つの言い方があります。
- 数の順序を表すときには「二」を使います。
- 人や物を数えるときには「两」を使います。
- 二百は「二」と「两」のどちらもOK。二千、二万の場合、「两」を使います。

どちらを使うのかは決まっているので、覚えておくようにしましょう。

◉「百」「千」「万」の言い方

百、千、万の場合、日本語では前に「一」を付けませんが、中国語では必ず「一」「二」「三」などの数字を付けます。

yì bǎi	èr bǎi	yì qiān
100	200	1000

liǎng qiān	yí wàn	liǎng wàn
2000	10000	20000

◉ 数字「十」の言い方

10	→	shí
12	→	shí èr
212	→	èr bǎi yī shi èr
3212	→	sān qiān èr bǎi yī shi èr

✓ 2桁の「十」は「shí」と読みますが、3桁以上の「十」は「yī shí」と読まなければなりません。

◉ 数字「0」の言い方

liǎng qiān líng yī shi èr
2012

liǎng qiān líng èr
2002

✓ 数字にはさまれたゼロは1つであっても2つであっても「líng」は1回発音するだけです。

liǎng qiān líng èr shí
2020

超かんたん　10分間エクササイズ

1 次の数字を発音してみましょう。

① 103
② 216
③ 3090

2 次のピンインを中国語の簡体字に書き直し、日本語に訳してみましょう。

① Shéi shì Hàn yǔ lǎo shī?
　_____

② Zhè shì shéi de zhē yáng sǎn?
　_____

③ Wǒ shì lǎo shī, nǐ ne?
　_____

3 下の_____の言葉を疑問代詞に入れ替えて、疑問詞疑問文を作ってみましょう。

① 这是<u>手绢</u>。　_____

② 他是<u>日语</u>老师。　_____

③ 那是<u>学生们</u>的书。　_____

4 次の日本語の文を中国語に訳してみましょう。

① これはどんな本ですか。
　_____

② あれは誰のノートですか。
　_____

③ これはあなたのスマートホンですか。
　_____

> 正解・解説

1

① yì bǎi líng sān
*百、千、万の前には必ず数字を付けて言います。

② liǎng (èr) bǎi yī shi liù
*3桁以上の十には、「yī」を付けます。

③ sān qiān líng jiǔ shí
*数字の間にゼロがいくつあっても「líng」は1回言うだけです。

2

① 谁是汉语老师? だれが中国語の先生ですか。
② 这是谁的遮阳伞? これはだれの日傘ですか。
*「谁」と「谁的」の使い方をしっかり区別しましょう。
③ 我是老师,你呢? 私は先生です、あなたは？
*「呢」は必ず名詞の後に置くように。

3

① 什么　　　　　这是什么?
② 谁　　　　　　谁是日语老师?
③ 谁的　　　　　那是谁的书?
*疑問代詞がそれぞれ何をたずねるのか覚えておけば、答えるのが簡単になります。

4

① 这是什么书?
*「什么」を名詞の前に置くときには「的」は不要です。
② 那是谁的笔记本?
*「谁」の後ろには「的」が必要です。
③ 这是你的智能手机吗?

もっと知りたい！

日本語と中国語のここが違う①

　同じ漢字を使っていて意味も同じなのに、漢字の順序が逆になっている言葉があります。

（中国語）	（日本語）
黑白	白黒
互相	相互
介绍	紹介
日期	期日
始终	終始
痛苦	苦痛
设施	施設

　また、同じ漢字なのに、日本語と中国語で意味が異なる言葉があります。

（中国語）	（日本語）
汤	スープ
床	ベッド
冷	寒い
走	歩く
表	時計
大家	みなさん
手纸	トイレットペーパー
新闻	ニュース
东西	品物
告诉	知らせる

文法編

第2章

動詞「有」はさまざまな使い方ができて、中国語の文の基本です。
時間・年齢・数字の言い方も学習します。

UNIT 6	動詞「有」①	「人＋有＋名詞」	68
UNIT 7	動詞「有」②	「人＋有＋人の名詞」	74
UNIT 8	動詞「有」③	「場所＋有＋人・物の名詞」	82
UNIT 9	月・日・曜日・年号・電話番号		90
UNIT 10	時刻・年齢の言い方と名詞述語文		98

● CD 35〜CD 56

UNIT 6 動詞「有」① 「人＋有＋名詞」
私はパソコンを持っています

「有」は人を主語にして、「～がある」「～を持っている」という所有を表します。とてもよく使う動詞なので、肯定・否定・疑問の３つの形を使いこなせるようにしておきましょう。

● CD-35

❶ 你有电脑吗？
Nǐ yǒu diàn nǎo ma?
ニー イオウ ディエン ナオ マ
↑「有」は所有を表す

❷ 有，我有电脑。
Yǒu, wǒ yǒu diàn nǎo.
イオウ ウオ イオウ ディエン ナオ

❸ 没有，我没有电脑。
Méi yǒu, wǒ méi yǒu diàn nǎo.
メイ イオウ ウオ メイ イオウ ディエン ナオ
↑否定形は「没有」

❹ 你有没有电脑？
Nǐ yǒu méi yǒu diàn nǎo?
ニー イオウ メイ イオウ ディエン ナオ
↑反復疑問文は「動詞の肯定形＋同じ動詞の否定形」

❺ 这是不是你的电脑？
Zhè shì bú shì nǐ de diàn nǎo?
ヂァー シー ブー シー ニー ダ ディエン ナオ

✓ 学習のポイント

◉ 動詞「有」の文:「人 + 有 + 名詞」(〜がある、〜を持っている)
◉ 反復疑問文:「動詞の肯定形 + 同じ動詞の否定形」

你有电脑吗？

❶ あなたはパソコンを持っていますか。
❷ はい、私はパソコンを持っています。。
❸ いいえ、私はパソコンを持っていません。
❹ あなたはパソコンを持っていますか。
❺ これはあなたのパソコンですか。

本文単語　● CD-36

☐ 有 yǒu　〜がある、〜を持っている　＊所有を表す動詞。

☐ 电脑 diàn nǎo　パソコン

☐ 没有 méi yǒu　〜がない、〜を持っていない　＊「有」の否定形。

補充単語

☐ 时间 shí jiān　時間
☐ 昨天 zuó tiān　昨日
☐ 事儿 shìr　用事、事柄
☐ 今天 jīn tiān　今日
☐ 明天 míng tiān　明日
☐ 数码相机 shù mǎ xiàng jī　デジタルカメラ
☐ 笔记本电脑 bǐ jì běn diàn nǎo　ノートパソコン
☐ 视窗 shì chuāng　ウインドウズ
☐ 桌面电脑 zhuō miàn diàn nǎo　デスクトップパソコン
☐ 钱 qián　お金
☐ 工作 gōng zuò　仕事

UNIT 6

中国語の文法公式を覚えよう

公式12 動詞の「有」は「〜がある、〜を持っている」

● CD-37

「有」は人を主語にして、所有を表します。具体的なものにも抽象的なものにも使えます。否定形は「没有」です。「是」の否定形の「不是」と区別しましょう。

人 ＋ 有 ＋ 名詞　〜は〜がある。／〜は〜を持っている。

Nǐ yǒu shí jiān ma?
你**有**时间吗？（あなたは時間がありますか）

Yǒu, wǒ yǒu shí jiān。
有，我**有**时间。（はい、私は時間があります）

Méi yǒu, wǒ méi yǒu shí jiān。
没有，我**没有**时间。（いいえ、私は時間がありません）

Nǐ yǒu shén me?
你**有**什么？（あなたは何がありますか）

「有」は「是」と同様に、過去、現在、未来でも形は変わりません。

Zuó tiān wǒ yǒu shìr。
昨天我**有**事儿。（昨日、私は用事がありました）

Jīn tiān wǒ yǒu shìr。
今天我**有**事儿。（今日、私は用事があります）

Míng tiān wǒ yǒu shìr。
明天我**有**事儿。（明日、私は用事があります）

「有」の使い方

　中国語の「有」は、日本語の「ある」ほど広くは使えません。例えば、日本語では「私は今日、学校がある」「そう言い方はないでしょう」と言います。しかし、中国語では、この2例はいずれも「有」を使えないのです。

　「有」はあくまで、その人の所有するものでなければなりません。「我有学校」と言えば、「学校は私のもの」→「私は学校を経営している」という意味になってしまいます。また、「言い方」も一般的には所有するものではありません。そういう言い方をする癖や習慣という意味なら、「有」を使うことも可能です。

　「有」を使えるかどうかは、それがその人の所有になりうるかどうかで判断しましょう。

公式 13　反復疑問文は「動詞の肯定形 ＋ 同じ動詞の否定形」でつくる

● CD-38

　動詞の肯定形と同じ動詞の否定形を並べると、疑問を表すことができます。また、「中国語の疑問文に疑問を表す言葉は1つのみ」というルールから、他に疑問の言葉を入れてはいけません。

Zhè shì bú shì nǐ de shù mǎ xiàng jī?
这 是 不 是 你的数码相机？
（これはあなたのデジカメですか）

Nǐ yǒu méi yǒu bǐ jì běn diàn nǎo?
你 有 没 有 笔记本电脑？
（あなたはノートパソコンを持っていますか）

● 反復疑問文と「吗」を使う諾否疑問文

　反復疑問文と「吗」を使う諾否疑問文は、意味はまったく同じです。ですから、反復疑問文は「吗」の諾否疑問文と同じように訳して問題ありません。反復疑問文は口調を少し和らげるという特徴があるので、会話でよく使います。

超かんたん　10分間エクササイズ

1 次のピンインを中国語の簡体字に書き直し、日本語に訳してみましょう。

① Wǒ yǒu diàn nǎo。
_____

② Tā yǒu diàn nǎo ma?
_____

③ Nǐ yǒu bǐ jì běn diàn nǎo ma?
_____

④ Zhè shì bú shì nǐ de diàn nǎo?
_____

2 次の諾否疑問文を反復疑問文に書き換え、日本語に訳してみましょう。

① 这是视窗电脑吗？　_____

② 你有视窗电脑吗？　_____

③ 那是你的桌面电脑吗？　_____

④ 学生们有时间吗？　_____

3 次の日本語の文を中国語に訳してみましょう。

① 私はお金を持っていません。
_____

② あなたは仕事がありますか。
_____

③ 佐藤さんはどんな用事があるのですか。
_____

④ これは誰のデジカメですか。
_____

正解・解説

1

① 我有电脑。　　　　　　　　私はパソコンを持っています。
② 他(她)有电脑吗?　　　　　　彼(彼女)はパソコンを持っていますか。
③ 你有笔记本电脑吗?　　　　　あなたはノートパソコンを持っていますか。
④ 这是不是你的电脑?　　　　　これはあなたのパソコンですか。

2

① 这是不是视窗电脑?　　　　　これはウインドウズパソコンですか。
　＊反復疑問文は「動詞の肯定形 + 否定形」。「是」の否定形は「不是」なので、「是不是」という形になります。
② 你有没有视窗电脑?　　　　　あなたはウインドウズパソコンを持っていますか。
　＊前問と同様、「有」の否定形は「没有」なので、「有没有」という形になります。
③ 那是不是你的桌面电脑?　　　あれはあなたのデスクトップパソコンですか。
④ 学生们有没有时间?　　　　　生徒たちは時間がありますか。

3

① 我没有钱。
② 你有工作吗?
③ 佐藤先生(女士)有什么事儿?
　＊「什么 + 名詞」という形です。
④ 这是谁的数码相机?
　＊「谁 + 的 + 名詞」という形です。

UNIT 7 動詞「有」② 「人 + 有 + 人の名詞」
私は1人の妹がいます

UNIT 6で学習した所有を表す「有」を使って、家族を話題にする表現を身につけましょう。また、人や物の数を表す量詞と、その数を聞くときに使う疑問代詞も一緒に覚えましょう。

● CD-39

❶ 我 有 妹 妹, 我 有 一 个 妹 妹。
Wǒ yǒu mèi mei, wǒ yǒu yí ge mèi mei.
ウオ イオウ メイ メイ ウオ イオウ イー ガ メイ メイ
　　　↑家族を「持つ」という意味でも使う　　　　　↑人・物に広く使える量詞

❷ 我 家 有 四 口 人。
Wǒ jiā yǒu sì kǒu rén.
ウオ ヂィア イオウ スー コウ レン
　　　　　　　　　↑世帯全員の人数を数える量詞

❸ 你 家 都 有 什 么 人?
Nǐ jiā dōu yǒu shén me rén?
ニー ヂィア ドウ イオウ シェン マ レン
　　　　↑「全部で」の意味の副詞

❹ 我 家 有 爸 爸, 妈 妈, 一 个 姐 姐 和 我。
Wǒ jiā yǒu bà ba mā ma yí ge jiě jie hé wǒ.
ウオ ヂィア イオウ バー バ マー マ イー ガ ヂィエ ヂィエ ハー ウオ

❺ 这 台 电 脑 是 我 弟 弟 的。
Zhè tái diàn nǎo shì wǒ dì di de.
ヂァー タイ ディエン ナオ シー ウオ ディー ディー ダ
　　↑　　　↑機械類を数えるのに使う量詞
指示代詞「この」

✓ 学習のポイント

- 動詞「有」の文：「人 + 有 + 人の名詞」（人には〜がいる）
- 人や物を数えるときの量詞
- 指示代詞「この、その、あの」の使い方

我 有 一 个 妹妹。

❶ 私は妹がいます、私は1人の妹がいます。
❷ 私は4人家族です。
❸ あなたの家族はだれがいますか。
❹ 私の家族は父、母、1人の姉と私です。
❺ このパソコンは弟のものです。

本文単語　 CD-40

- 妹妹 mèi mei　妹
- 家 jiā　家、家族
- 口 kǒu　一家全員の人数を数える量詞
- 爸爸 bà ba　父親、お父さん
- 姐姐 jiě jie　姉、お姉さん
- 台 tái　台 ＊電気製品などを数える量詞。
- 弟弟 dì di　弟
- 个 gè　個
- 都 dōu　みんな、全部
- 妈妈 mā ma　母親、お母さん
- 和 hé　〜と〜

補充単語

- 朋友 péng you　友達
- 孩子 hái zi　子供
- 儿子 ér zi　息子
- 妻子 qī zi　妻、奥さん
- 爷爷 yé ye　祖父、おじいさん
- 苹果 píng guǒ　リンゴ
- 女儿 nǚ ér　娘
- 哥哥 gē ge　兄、お兄さん
- 丈夫 zhàng fu　夫、旦那
- 奶奶 nǎi nai　祖母、おばあさん

UNIT 7

中国語の文法公式を覚えよう

公式14 「量詞(りょうし)」は人・物を数える単位である

●CD-41

量詞は日本語の「杯」「冊」「匹」などに相当する助数詞のことで、人や物を数えるときに用いる単位です。日本語と同様に量詞は名詞の種類によって決まっています。中国語で最も広く使われる量詞は「个」で、日本語の「個」に当たりますが、中国語の「个」は物だけでなく、人にも使います。量詞は語順といっしょに覚えておきましょう。

[数字 + 量詞 + 人の名詞]

yí ge mèi mei
一 个 妹 妹 (1人の妹)

sān ge péng you
三 个 朋 友 (3人の友達)

[数字 + 量詞 + 物の名詞]

yí ge shǒu jī
一 个 手 机 (1台の携帯電話)

sān ge píng guǒ
三 个 苹 果 (3つのリンゴ)

●「二」と「两」

中国語の1桁の「二」は、「二」と「两」の2つの言い方があります。
人や物を数えるときには、1桁の「二」は必ず「两」を使います。
あくまでも1桁の「二」にかぎるもので、22、102の「二」には適用されません。

2人の子供　　**两 个 孩 子**　○　　二 个 孩 子　×

2個のリンゴ　**两 个 苹 果**　○　　二 个 苹 果　×

●量詞「口」と「个」の違い

「口」は、自分も含む一世帯の全員の人数を示すときに使います。この場合、主語は必ず「○○家」となります。

Wǒ jiā yǒu sān kǒu rén.
我 家 有 三 口 人。(私の家族は3人です)

Tā jiā yǒu wǔ kǒu rén.
她 家 有 五 口 人。(彼女の家族は5人です)

「个」は、家族のメンバー、兄弟や子供、親戚の数を示すときに使います。この場合、主語は必ず1人の人です。

Wǒ yǒu liǎng ge dì di。
我有两个弟弟。（私は2人の弟がいます）

Lǐ xiān sheng yǒu liǎng ge nǚ ér hé yí ge ér zi。
李先生有两个女儿和一个儿子。
（李さんは2人の娘と1人の息子がいます）

家族以外の人にも使えます。

Wǒ yǒu yí ge Rì běn péng you。
我有一个日本朋友。
（私は1人の日本人の友達がいます）

●「的」の省略

家族のメンバーを言う場合、「的」を使わないのが一般的です。

wǒ de jiā　　wǒ jiā
我的家 → 我家
（私の家）

Wǒ jiā yǒu sān kǒu rén。
我家有三口人。
（私は3人家族です）

tā de jiě jie　　tā jiě jie
她的姐姐 → 她姐姐
（彼女のお姉さん）

Tā jiě jie shì dà xué shēng。
她姐姐是大学生。
（彼女のお姉さんは大学生です）

● よく使われる量詞　BEST 12

个 gè
（人や物。最も広く使用される）

yí ge xué sheng
一个学生（1人の学生）

liǎng ge píng guǒ
两个苹果（2つのリンゴ）

UNIT 7

量詞	例
位 wèi（尊敬すべき人）	yí wèi lǎo shī 一 **位** 老 师（1人の先生） liǎng wèi kè rén 两 **位** 客 人（2人のお客さん）
杯 bēi（カップに入っている）	yì bēi kā fēi 一 **杯** 咖 啡（1杯のコーヒー）
瓶 píng（瓶に入っている）	liǎng píng shuǐ 两 **瓶** 水（2瓶の水）
本 běn（本、雑誌などの書物）	yì běn zá zhì 一 **本** 杂 志（1冊の雑誌）
台 tái（電気製品などの機器）	sān tái diàn nǎo 三 **台** 电 脑（3台のパソコン）
支 zhī（棒状の物）	yì zhī bǐ 一 **支** 笔（1本のペン）
张 zhāng（紙や皮など平らなもの）	liǎng zhāng piào 两 **张** 票（2枚のチケット）
件 jiàn（衣類の上着、用件）	yí jiàn máo yī 一 **件** 毛 衣（1枚のセーター）
条 tiáo （細長いもの、ズボン、スカート、マフラーなど）	liǎng tiáo qún zi 两 **条** 裙 子（2枚のスカート） sān tiáo lǐng dài 三 **条** 领 带（3本のネクタイ）
把 bǎ（傘、椅子、扇子など）	yì bǎ yǔ sǎn 一 **把** 雨 伞（1本の傘）
辆 liàng（車などの乗り物）	yí liàng qì chē 一 **辆** 汽 车（1台の乗用車）

公式 15 「指示代詞 + 量詞」で「この〜」「あの〜」の表現をつくる

CD-42

日本語の「この学生」「あの雑誌」の「この〜」「あの〜」は中国語では量詞を使って表現します。

【 指示代詞 + 量詞 + 名詞 】

zhè ge xué sheng
这个学生（この学生）

zhè bēi kā fēi
这杯咖啡（このコーヒー）

nà běn zá zhì
那本杂志（あの雑誌）

nà tái diàn nǎo
那台电脑（あのパソコン）

Zhè bēi kā fēi shì tā de.
这杯咖啡是他的。（このコーヒーは彼のです）

ただし、複数の指示代詞の場合には、量詞は必要ありません。

zhè xiē xué sheng
这些学生（これらの学生）

nà xiē zá zhì
那些杂志（あれらの雑誌）

指す名詞が話者の間でわかっている場合、名詞を省略して「指示代詞 + 量詞」だけでもかまいません。

Zhè bēi shì tā de.
这杯是他的。（これは彼のです）

超かんたん　10分間エクササイズ

1 次のピンインを中国語の簡体字に書き直し、日本語に訳してみましょう。

① Nǐ yǒu mèi mei ma?
_____

② Wǒ yǒu liǎng ge jiě jie。
_____

③ Zhè shì wǒ dì di de。
_____

④ Nǐ jiā dōu yǒu shén me rén?
_____

2 次の文の間違いを直してみましょう。

① 他有二个孩子。　_____

② 我家有一个哥哥。　_____

③ 他家有五个人。　_____

④ 我有苹果三个。　_____

3 次の日本語の文を中国語に訳してみましょう。

① このパソコンは妻のものです。
_____

② あれらのリンゴはあなたのですか。
_____

③ 夫は1人の姉と1人の弟がいます。
_____

④ 私の家は祖父、祖母、父、母と私です。
_____

正解・解説

1

① 你有妹妹吗？　　　　　　あなたは妹がいますか。
② 我有两个姐姐。　　　　　私は2人の姉がいます。
③ 这是我弟弟的。　　　　　これは弟のものです。
④ 你家都有什么人？　　　　あなたの家族構成は？

2

① 他有<u>两</u>个孩子。
　＊人や物を数えるとき、1桁の「二」には「两」を使います。
② <u>我</u>有一个哥哥。
　＊兄弟について言うときは、主語は1人の人です。
③ 他家有五<u>口</u>人。
　＊家族全体の人数を言うとき、量詞は「口」を使います。
④ 我有<u>三个苹果</u>。
　＊人や物を数えるときの語順は「数字 + 量詞 + 名詞」です。

3

① 这台电脑是我妻子的。
　＊自分の家族について言う場合は、「的」を使いません。「我妻子」とします。
② 那些苹果是你的吗？
　＊複数の指示代詞に量詞は不要です。
③ 我丈夫有一个姐姐和一个弟弟。
④ 我家有爷爷，奶奶，爸爸，妈妈和我。
　＊家族構成を言うとき、自分のことは最後に言います。

UNIT 7

UNIT 8 動詞「有」③ 「場所+有+人・物の名詞」
近くにコンビニはありますか

「有」は場所を表す名詞の後に置いて、「～に～がある・いる」という表現をつくります。また、場所を表す指示代詞と数をたずねる疑問代詞も学習しましょう。

◉ CD-43

❶ 请问, 附近有便利店吗?
Qǐng wèn, fù jìn yǒu biàn lì diàn ma?
チィン ウエン フゥー ヂン イオウ ビィエン リー ディエン マ
↑「場所＋有＋物の名詞」

❷ 没有, 附近没有便利店, 有一家超市。
Méi yǒu, fù jìn méi yǒu biàn lì diàn, yǒu yì jiā chāo shì.
メイ イオウ フゥー ヂン メイ イオウ ビィエンリー ディエンイオウ イー ヂィア チャオ シー

❸ 这儿有很多游客。
Zhèr yǒu hěn duō yóu kè.
ヂァール イオウ ヘン ドゥオ イオウ カー
↑場所を表す指示代詞「ここ」

❹ 餐厅里有几位客人?
Cān tīng li yǒu jǐ wèi kè rén?
ツァン ティン リ イオウ ヂー ウエイ カー レン
↑10以下の数をたずねる疑問代詞

❺ 餐厅里有多少客人?
Cān tīng li yǒu duō shao kè rén?
ツァン ティン リ イオウ ドゥオ シァオ カー レン
↑数の制限なく使える疑問代詞

✓ 学習のポイント

- 動詞「有」の文：「場所 + 有 + 人・物の名詞」（〜に〜がある・いる）
- 場所を表す指示代詞を覚える
- 数をたずねる疑問代詞「几」「多少」を使う

❶ すみませんが、近くにコンビニはありますか。
❷ いいえ、近くにコンビニはありません、
　スーパーが一軒あります。
❸ ここにはたくさんの観光客がいます。
❹ レストランにお客さんは何人いますか。
❺ レストランにお客さんはどのくらいいますか。

本文単語　 CD-44

- 请问 qǐng wèn　ちょっとおうかがいします
- 附近 fù jìn　付近、近く
- 家 jiā　軒　*店などを数える量詞。
- 这儿 zhèr　ここ　*場所を表す指示代詞。
- 很多 hěn duō　たくさん、多く
- 餐厅 cān tīng　レストラン
- 几 jǐ　数をたずねる疑問代詞
- 客人 kè rén　顧客、お客さん
- 便利店 biàn lì diàn　コンビニエンスストア
- 超市 chāo shì　スーパー
- 游客 yóu kè　観光客、旅行者
- 里 lǐ　〜の中
- 位 wèi　尊敬すべき人を数える量詞
- 多少 duō shao　数をたずねる疑問代詞

補充単語

- 麦当劳 Mài dāng láo　マクドナルド
- 飞机 fēi jī　飛行機
- 星巴克 Xīng bā kè　スターバックス
- 购物中心 gòu wù zhōng xīn　ショッピングセンター、デパート
- 快餐厅 kuài cān tīng　ファストフード店
- 乘客 chéng kè　乗客
- 邮局 yóu jú　郵便局
- 上 shàng　〜の中、〜の上
- 卫生间 wèi shēng jiān　お手洗い、トイレ

UNIT 8

中国語の文法公式を覚えよう

公式 16　場所の「指示代詞」は口語・文語で異なる

● CD-45

　場所を表す指示代詞は口語と文語で異なるので、区別して覚えましょう。また、場所を表すには、指示代詞を使うほかに、名詞の後ろに「里」や「上」を付ける方法があります。

● 口語で使う

这儿 zhèr（ここ）　　**那儿** nàr（そこ、あそこ）　　**哪儿** nǎr（どこ）

● 口語でも文語でも使う

这里 zhè li（ここ）　　**那里** nà li（そこ、あそこ）　　**哪里** nǎ li（どこ）

● 名詞に「里」「上」を付けて場所を表す

名詞＋里　　〜の中に

　　银行里 yín háng li（銀行の中に）

　　麦当劳里 Mài dāng láo li（マクドナルドの中に）

名詞＋上　　〜の中に、〜の上に

　　广场上 guǎng chǎng shang（広場の中に）

　　飞机上 fēi jī shang（飛行機の中に）

✓「上」は「〜の上」という意味です。しかし、中国語の習慣では、乗り物の中という表現はよく「〜上」で表します。例えば、「车上」は「車の中」、「飞机上」は「飛行機の中」という意味です。

公式 17 「場所 ＋ 有 ＋ 人・物の名詞」で「〜に〜がある・いる」

●CD-46

「有」は、「ある場所に人がいる」「ある場所に物がある」という存在を表す表現にもなります。日本語では、人の場合は「いる」、物の場合は「ある」と使い分けますが、中国語は人でも物でも「有」でOKです。

場所 ＋ 有 ＋ 人の名詞 〜に〜がいる。

Cān tīng li yǒu kè rén ma?
餐厅里有客人吗？
（レストランの中にお客さんがいますか）

Yǒu, cān tīng li yǒu kè rén。
有，餐厅里有客人。
（はい、レストランの中にお客さんがいます）

場所 ＋ 有 ＋ 物の名詞 〜に〜がある。

Nǐ jiā yǒu chē ma?
你家有车吗？（家に車がありますか）

Méi yǒu, wǒ jiā méi yǒu chē。
没有，我家没有车。（いいえ、家に車はありません）

Nǐ jiā yǒu méi yǒu chē?
你家有没有车？（家に車がありますか）

✓ 反復疑問文は「動詞の肯定形 ＋ 同じ動詞の否定形」です。「有」の否定形は「没有」なので、「有」の反復疑問文は「有没有」になります。

UNIT 8

> 場所 ＋ 有 ＋ 施設・場所の名詞　～に～がある。

Fù jìn yǒu Xīng bā kè ma?
附近有星巴克吗？（近くにスターバックスがありますか）

Fù jìn yǒu Xīng bā kè.
附近有星巴克。（近くにスターバックスがあります）

Fù jìn méi yǒu Xīng bā kè.
附近没有星巴克。（近くにスターバックスはありません）

公式18　疑問代詞「几」と「多少」は数で使い分ける

●CD-47

どちらも、「いくつ、どのくらい」と数をたずねるときに使います。ただし、答えとして予測できる数によって「几」と「多少」を使い分けます。

「几」は答えとして10以下の数が予測できる場合に使います。

Nǐ yǒu jǐ ge shǒu jī?
你有几个手机？（あなたは携帯を何台もっていますか）

「多少」は特に数の制限はありませんが、10以上の数を予測できる場合に使うことが多いです。

Gòu wù zhōng xīn li yǒu duō shao kè rén?
购物中心里有多少客人？
（デパートの中にお客さんはどのくらいいますか）

ただし、「几」を使うか「多少」を使うかが、慣用的に決まっていることもあります。例えば、家族の人数、兄弟の人数、月日、曜日、時間などをたずねるときには、10以上でも以下でも「几」を使うのが決まりです。

Tā jiā yǒu jǐ kǒu rén?
她家有几口人？（彼女は何人家族ですか）

Tā yǒu jǐ ge gē ge?
他有几个哥哥？（彼はお兄さんが何人いますか）

◉「几」の後ろには量詞が必要です。

> 几 + 量詞 + 名詞

jǐ jiā kuài cān tīng?
几家快餐厅（ファストフード店は何軒？）

◉「多少」の後ろには量詞はあってもなくてもかまいません。

> 多少 + 量詞 + 名詞

duō shao jiā kuài cān tīng
多少家快餐厅（ファストフード店は何軒？）

> 多少 + 名詞

duō shao kuài cān tīng
多少快餐厅（ファストフード店は何軒？）

「请问」の使い方

　「请问」は相手に何かをたずねる際に文頭に置く言葉です。日本語に訳すと、「ちょっとお聞きしますが」「ちょっとおたずねしますが」「すみませんが」になります。ただし、「すみませんが」と訳せても、謝る意味はなく、「对不起」と言い換えることはできません。

Qǐng wèn, zhè shì shéi de?
请问，这是谁的？
（すみませんが、これはどなたのですか）

Qǐng wèn, nǐ jiā yǒu jǐ kǒu rén?
请问，你家有几口人？
（ちょっとおたずねしますが、ご家族は何人ですか）

UNIT 8

超かんたん　10分間エクササイズ

1 次のピンインを中国語の簡体字に書き直し、日本語に訳してみましょう。

① Qǐng wèn, fù jìn yǒu cān tīng ma?

② Fù jìn méi yǒu biàn lì diàn。

③ Cān tīng li yǒu duō shao kè rén?

④ Chāo shì li yǒu hěn duō kè rén。

2 次の(　　)から正しい言葉を選んで、＿＿＿ に入れ、また日本語に訳してみましょう。

① 飞机 ＿＿＿ 有很多乘客。(里　上)　＿＿＿＿＿＿＿＿

② 他有两 ＿＿＿ 哥哥。(个　位)　＿＿＿＿＿＿＿＿

③ 餐厅里有几 ＿＿＿ 客人？(个　位)　＿＿＿＿＿＿＿＿

④ 你家有 ＿＿＿ 口人？(多少　几)　＿＿＿＿＿＿＿＿

3 次の日本語の文を中国語に訳してみましょう。

① 近くにスターバックスとマクドナルドがあります。

② すみませんが、近くにお手洗いがありますか。

③ 郵便局に人がいますか。(反復疑問文を使う)

④ デパートの中にはお客さんがたくさんいます。

正解・解説

1

① 请问,附近有餐厅吗?　　すみませんが、近くにレストランはありますか。
② 附近没有便利店。　　　　近くにコンビニはありません。
③ 餐厅里有多少客人?　　　レストランの中にお客さんはどのくらいいますか。
④ 超市里有很多客人。　　　スーパーの中にはたくさんのお客さんがいます。

2

① 上　　　　　飛行機の中にはたくさんの乗客がいます。
＊「上」は「(乗り物の)中で」という意味でよく使います。

② 个　　　　　彼は2人のお兄さんがいます。
＊兄弟の人数を数える量詞は「个」です。

③ 位　　　　　レストランの中にお客さんは何人いますか。
＊お客さんを数える量詞は「位」です。

④ 几　　　　　あなたは何人家族ですか。
＊家族の総人数を数える場合、人数に関係なく「几」を使います。

3

① 附近有星巴克和麦当劳。

② 请问,附近有卫生间吗?
＊「请问」は相手にたずねる際に使う言葉で、「すみません」と訳してもいいですが、謝る言葉ではないので注意しましょう。

③ 邮局里有没有人?
＊反復疑問文は「動詞の肯定形 + 否定形」つまり、ここでは「有没有」です。

④ 购物中心里有很多客人。

UNIT 9 月・日・曜日・年号・電話番号
今日は何月何日ですか

月日の言い方は日本語に近いので、簡単に覚えられます。また、年号と電話番号は数字をそのまま読み上げるだけです。ここでしっかり覚えておきましょう。

○ CD-48

❶ 今天是几月几号？
　Jīn tiān shì jǐ yuè jǐ hào?
　ヂン ティエン シー ヂー ユエ ヂー ハオ
　↑「何月何日」をたずねる言い方

❷ 今天是四月一号。
　Jīn tiān shì sì yuè yī hào.
　ヂン ティエン シー スー ユエ イー ハオ

❸ 下个月五号是我的生日。
　Xià ge yuè wǔ hào shì wǒ de shēng ri.
　シィア ガ ユエ ウー ハオ シー ウオ ダ ション リー

❹ 明天是星期几？
　Míng tiān shì xīng qī jǐ?
　ミィン ティエン シー シィン チー ヂー
　↑「曜日」をたずねる言い方

❺ 明天是星期六。
　Míng tiān shì xīng qī liù.
　ミィン ティエン シー シィン チー リウ

✓ 学習のポイント
- 月・日・曜日を言えるようにする
- 年号・電話番号を言えるようにする

明 天 是 星 期 六

星期六

❶ 今日は何月何日ですか。
❷ 今日は4月1日です。
❸ 来月の5日は私の誕生日です。
❹ 明日は何曜日ですか。
❺ 明日は土曜日です。

本文単語　CD-49

- 今天 jīn tiān　今日
- 号 hào　日
- 几号 jǐ hào　何日
- 生日 shēng ri　誕生日
- 星期 xīng qī　曜日
- 星期六 xīng qī liù　土曜日

- 月 yuè　月
- 几月 jǐ yuè　何月
- 下个月 xià ge yuè　来月
- 明天 míng tiān　明日
- 星期几 xīng qī jǐ　何曜日

補充単語

- 礼拜 lǐ bài　曜日
- 年 nián　年
- 奥运会 Ào yùn huì　オリンピック
- 下星期 xià xīng qī　来週
- 上个月 shàng ge yuè　先月

- 这星期 zhè xīng qī　今週
- 哪年 nǎ nián　何年
- 电话号码 diàn huà hào mǎ　電話番号
- 上星期 shàng xīng qī　先週
- 昨天 zuó tiān　昨日

中国語の文法公式を覚えよう

公式 19　月・日・曜日の言い方　●CD-50

● 月の言い方

月の言い方は日本語と同じで、数字の後に「月」を付けます。

一月 yī yuè　　二月 èr yuè　　三月 sān yuè　　四月 sì yuè
五月 wǔ yuè　　六月 liù yuè　　七月 qī yuè　　八月 bā yuè
九月 jiǔ yuè　　十月 shí yuè　　十一月 shí yī yuè　　十二月 shí èr yuè
几月 jǐ yuè　（何月）

● 日の言い方

日の言い方は、会話に使う「号」と、文章に使う「日」の2種類があります。まず、「号」を覚えておきましょう。数字の後に「号」を付けます。

一号 yī hào　　二号 èr hào　　三号 sān hào　　五号 wǔ hào
十号 shí hào　　十一号 shí yī hào　　十二号 shí èr hào
二十号 èr shí hào　　三十号 sān shí hào　　三十一号 sān shi yī hào
几号 jǐ hào　（何日）

● 曜日の言い方

曜日の言い方には、「星期」と「礼拝」の2つがあります。「星期」を使うことが多いので、まず「星期」を覚えましょう。一から六までの数字を「星期」または「礼拝」の後に付けることで、月曜日から土曜日を表します。

ただ、日曜日の場合、「七」という数字を使わず、「日」また「天」を使います。どちらも同じように使うので、自分にとって言いやすいほうを覚えておきましょう。

xīng qī yī
星期一（月曜日）

xīng qī èr
星期二（火曜日）

xīng qī sān
星期三（水曜日）

xīng qī sì
星期四（木曜日）

xīng qī wǔ
星期五（金曜日）

xīng qī liù
星期六（土曜日）

xīng qī rì　　xīng qī tiān
星期日 / 星期天（日曜日）

xīng qī jǐ
星期几（何曜日）

「今週の日曜日」と言うときには、今週：「这星期」の後に日曜日：「星期天」の「天」を付け加えます。

zhè xīng qī tiān
这星期天（今週の日曜日）

◉ 月・日・曜日を同時に使う

Jīn tiān shì jǐ yuè jǐ hào xīng qī jǐ?
今天是几月几号星期几？
（今日は何月何日何曜日ですか）

✓ 月・日・曜日を同時にたずねるときには、必ず「几」を使います。

Jīn tiān shì wǔ yuè shí hào xīng qī sān。
今天是五月十号星期三。
（今日は5月10日水曜日です）

Jīn tiān shì wǔ yuè shí hào xīng qī sān ma?
今天是五月十号星期三吗？
（今日は5月10日水曜日ですか）

公式20 年号・電話番号の言い方　● CD-51

● 年号の言い方

年号の言い方は日本語と違って、個々に数字を読み上げる方式です。

yī jiǔ bā qī nián
1987年

èr líng líng líng nián
2000年

èr líng yī wǔ nián
2015年

nǎ nián
哪 年（何年）

Dōng jīng Ào yùn huì shì nǎ nián?
东京奥运会是哪年？（東京オリンピックは何年ですか）

Dōng jīng Ào yùn huì shì èr líng èr líng nián。
东京奥运会是2020年。
（東京オリンピックは2020年です）

● 電話番号の言い方

電話番号は年号と同じように数字をそのまま読むだけです。ただし、相手の電話番号をたずねるときには必ず「多少」を使います。

Nǐ de diànhuà hàomǎ shì duōshao?
你的电话号码是多少？
（あなたの電話番号は何番ですか）

Wǒ de diànhuà hàomǎ shì líng sān - yāo èr sān sì - wǔ liù qī bā.
我的电话号码是０３－１２３４－５６７８。
（私の電話番号は03-1234-5678です）

「一」の読み方

　「一」は普通「yī」と読みます。ただし、電話番号と部屋番号を言う場合、「yāo」と読むのが一般的です。それは、「一 yī」と「七 qī」の発音が似ていてまぎらわしいので、両者をはっきりと区別するためです。

中国マメ知識②

春節

　春節（春节）は旧暦の１月１日、旧正月のことで、中国人にとって、１年の中で最も盛大に祝う重要な祝祭日です。普段離れて暮らしている家族も、春節になると必ず一堂に会して団らんの時を過ごします。春節にしか食べないという、日本のおせち料理のような食べ物は特にありませんが、丸ごと調理した魚や鶏肉などの料理で祝う習慣があります。

超かんたん　10分間エクササイズ

1 次のピンインを中国語の簡体字に書き直し、また日本語に訳してみましょう。

① Jīn tiān shì jǐ yuè jǐ hào?
_____

② Jīn tiān shì wǔ yuè yī hào。
_____

③ Míng tiān shì xīng qī jǐ?
_____

④ Jīn tiān shì liù yuè èr hào xīng qī tiān。
_____

2 次の文の中の間違いを訂正してみましょう。

① 你的电话号码是几？　_____

② 七月五号我的生日。　_____

③ 北京奥运会是几年？　_____

④ 明天是多少号？　_____

3 次の日本語の文を中国語に訳してみましょう。

① 何曜日なら時間がありますか。
_____

② 東京オリンピックは何年ですか。
_____

③ 明日は日曜日で、用事はありません。
_____

④ 来週の土曜日は母の誕生日です。
_____

正解・解説

1

① 今天是几月几号?　　　今日は何月何日ですか。
② 今天是五月一号。　　　今日は5月1日です。
③ 明天是星期几?　　　　明日は何曜日ですか。
④ 今天是六月二号星期天。　今日は6月2日日曜日です。

2

① 你的电话号码是<u>多少</u>?
　＊電話番号は「多少」を使ってたずねます。
② 七月五号<u>是</u>我的生日。
　＊「是」を使わないといけません。
③ 北京奥运会是<u>哪</u>年?
　＊西暦などの年をたずねる場合は、「哪」を使います。
④ 明天是<u>几</u>号?
　＊月日をたずねるときは、数字の多少に関係なく「几」を使います。

3

① 星期几你有时间?
② 东京奥运会是哪年?
③ 明天是星期天, 我没有事儿。
　＊日本語の主語はよく省略しますが、中国語の主語はあまり省略しないのがふつうです。
④ 下星期六是我妈妈的生日。
　＊来週：「下星期」＋土曜日：「星期六」の「六」で、「下星期六」という形になります。

UNIT 10 時刻・年齢の言い方と名詞述語文
今、何時ですか

時刻の言い方は日本語と似ているので簡単に覚えられます。また、年齢のたずね方・答え方とともに、こうした時刻・年齢を言うときに使う「名詞述語文」を学習します。

● CD-52

❶ 現在 几 点 了?
　Xiàn zài jǐ diǎn le?
　シィエン ヴァイ ジー ディエン ラ
　　　　　　　↑「何時」とたずねる言い方

❷ 現在 两 点 一 刻 了。
　Xiàn zài liǎng diǎn yí kè le.
　シィエン ヴァイ リィアン ディエン イー カー ラ
　「二」を使わず、「两」を使う　↑「15分」を表す

❸ 你 今 年 多 大 了?
　Nǐ jīn nián duō dà le?
　ニー ヂン ニィエン ドゥオ ダー ラ
　　　　　　↑年下や同年代の相手に使う

❹ 您 今 年 多 大 年 纪 了?
　Nín jīn nián duō dà nián jì le?
　ニィン ヂン ニィエン ドゥオ ダー ニィエン ヂー ラ
　　　　　　↑目上の人に対する丁寧な年齢の聞き方

❺ 我 今 年 二 十 五 岁 了。
　Wǒ jīn nián èr shí wǔ suì le.
　ウオ ヂン ニィエン アル シー ウー スゥイ ラ

✓ 学習のポイント

- 名詞述語文：「主語 + 名詞」
- 時刻の言い方と年齢のたずね方・答え方を身につける

您今年多大年纪了?

❶ 今、何時ですか。
❷ 今、2時15分です。
❸ 今年でいくつですか。
❹ 今年でおいくつでいらっしゃいますか。
❺ 私は今年で25歳です。

本文単語　CD-53

- 现在　xiàn zài　現在、今
- 了　le　変化を表す
- 多大　duō dà　年齢をたずねる言い方
- 多大年纪　duō dà nián jì　年齢をたずねる丁寧な言い方
- 岁　suì　～歳
- 点　diǎn　～時
- 刻　kè　15分の単位

補充単語

- 上海人　Shàng hǎi rén　上海人
- 半　bàn　30分
- 差　chà　時間差を表す
- 小弟弟　xiǎo dì di　小さい男の子の呼び方
- 老爷爷　lǎo yé ye　おじいさん
- 多大岁数　duō dà suì shu　年齢をたずねる丁寧な言い方
- 小妹妹　xiǎo mèi mei　小さい女の子の呼び方
- 分　fēn　分
- 表　biǎo　時計の総称
- 老奶奶　lǎo nǎi nai　おばあさん

UNIT 10

中国語の文法公式を覚えよう

公式21 「名詞述語文」は名詞が述語になり、「是」は省略可

● CD-54

　名詞述語文とは、名詞が述語となり、動詞の役割を果たす文のことです。会話で、期日、曜日、年齢、金額、出身地などを言うときに使います。本来の動詞の「是」を省略して、「是」の代わりに期日、曜日、時間、年齢、金額、出身地などの名詞が述語となります。

　しかし、この形は肯定文と疑問文に限り、否定文では「不是」が必要です。

主語 + 名詞

Jīn tiān jǐ yuè jǐ hào?
今天几月几号？（今日は何月何日ですか）

Jīn tiān wǔ yuè liù hào.
今天五月六号。（今日は5月6日です）

Jīn tiān xīng qī jǐ?
今天星期几？（今日は何曜日ですか）

Jīn tiān xīng qī tiān.
今天星期天。（今日は日曜日です）

Tā Shàng hǎi rén.
他上海人。（彼は上海の人です）

名詞述語文の否定形は必ず「不是」という形です。

主語 + 不是 + 名詞

Jīn tiān bú shì wǔ yuè liù hào.
今天不是五月六号。（今日は5月6日ではありません）

✓ 名詞述語文は主に会話で使います。文章の場合には「是」を省略しません。

名詞述語文の名詞の位置

名詞述語文の名詞（期日、曜日、年齢、金額、出身地）は述語になるので、その名詞は述語の位置にきます。

今天星期六。 ○

星期六今天。 ×

✓この場合、「是」が必要です。

星期六是今天。 ○

公式 22 時刻の言い方　CD-55

何時何分何秒の言い方は日本語とそっくりです。しかし、中国語には「一刻」という独特の言い方があります。「一刻」は15分を表します。一刻＝15分、三刻＝45分。二刻という言い方はありません。

liǎng diǎn yí kè
两点一刻（2時15分）

liù diǎn sān kè
六点三刻（6時45分）

Xiàn zài jǐ diǎn le?
现在几点了？（今、何時ですか）

✓時間をたずねるときには、必ず「几」を使います。

Xiàn zài shí èr diǎn le。
现在十二点了。（今、12時です）

● 相手に時間をたずねるもう1つの表現

Nín de biǎo xiàn zài jǐ diǎn le?
您的表现在几点了？（あなたの時計で、今、何時ですか）

● 「何時何分前」の表現

「何時何分前」の言い方は日本語と異なります。「何時まで何分の差がある」という言い方になります。

chà shí wǔ fēn liǎng diǎn　　chà yí kè liǎng diǎn
差十五分两点 ／ 差一刻两点（1時45分）

時間を言う場合、「二」はすべて「两」を使います。

liǎng diǎn liǎng fēn
两点两分（2時2分）

公式23　年齢のたずね方　　CD-56

中国人に年齢をたずねるときは、相手の見かけの年齢によって言い方が変わります。自分の判断で大丈夫ですが、もしどの表現を使うべきか迷ったら、丁寧な言い方を使ったほうが無難です。

❶ 子供で、10歳以下だろうと判断した場合

Xiǎo dì di, nǐ jīn nián jǐ suì le?
小弟弟，你今年几岁了？（ぼく、今年でいくつ？）

Wǒ jīn nián bā suì le。
我今年八岁了。（ぼくは今年で8歳だ）

❷ 大人で、自分より若い人や自分と同年代と判断した場合

Nǐ jīn nián duō dà le?
你今年多大了？（今年でいくつですか）

Wǒ jīn nián sān shi liù suì le。
我今年三十六岁了。（私は今年で36歳です）

❸ **自分より年上の人、尊敬に値する人と判断した場合**

「你」を「您」に変えて、丁寧な言い方に統一する必要があります。

Lǎo yé ye, nín jīn nián duō dà nián jì le?
老爷爷，您今年多大年纪了？
（おじいさん、今年でおいくつでいらっしゃいますか）

Lǎo nǎi nai, nín jīn nián duō dà suì shu le?
老奶奶，您今年多大岁数了？
（おばあさん、今年でおいくつでいらっしゃいますか）

✓「多大年纪」と「多大岁数」の2つの言い方はまったく同じ意味で、丁寧の度合いも同じです。

Wǒ jīn nián liù shi bā suì le。
我今年六十八岁了。（私は今年で68歳になりました）

✓ 答え方は、年齢に関係なく「数字 + 岁」という形で答えればOKです。

◉ **「了」の使い方**

「了」は文末に置いて、変化や新しい事態の発生を表します。「〜になった」という意味です。

Xiàn zài shí èr diǎn le。
现在十二点了。（今、12時になりました）

Wǒ mèi mei jīn nián shí suì le。
我妹妹今年十岁了。（私の妹は今年で10歳になりました）

超かんたん　10分間エクササイズ

1 次のピンインを中国語の簡体字に書き直し、日本語に訳してみましょう。

① Xiàn zài jǐ diǎn le?
_____

② Xiàn zài liǎng diǎn le。
_____

③ Xiàn zài wǔ diǎn yí kè le。
_____

④ Nǐ jīn nián duō dà le。
_____

2 次の(　　　)から正しい言葉を選んで_____に入れ、また日本語に訳してみましょう。

① 现在____点了。（二　两）　　_____

② 现在三点____刻。（一　两）　　_____

③ 小妹妹, 你今年____岁了？（几　多大）　_____

④ 你哥哥今年____了。（几岁　多大）　_____

3 次の日本語の文を中国語に訳してみましょう。

① 今、何時ですか。(「表」を使う)
_____

② すみませんが、今もう5時になりましたか。
_____

③ お父様は今年でおいくつでいらっしゃいますか。
_____

④ 今、12時5分前です。(「差」を使う)
_____

正解・解説

1

① 现在几点了？　　　　　　今、何時ですか。
② 现在两点了。　　　　　　今、2時です。
③ 现在五点一刻了。　　　　今、5時15分です。
④ 你今年多大了。　　　　　あなたは今年でいくつですか。

2

① 两　　　　　　　　　　　今、2時です。
＊時間の場合、必ず「两」を使います。

② 一　　　　　　　　　　　今、3時15分です。
＊「刻」を使えるのは、「一」「三」だけです。

③ 几　　　　　　　　　　　お嬢ちゃん、今年でいくつ？
＊小さい子供の年を聞くときは、「几」を使います。

④ 多大　　　　　　　　　　お兄さんは今年でおいくつですか。
＊自分の友達のお兄さんは、自分と同年代の大人と考えれば、「多大」が適切です。

3

① 您的表现在几点了？
② 请问，现在五点了吗？
③ 你爸爸今年多大年纪了？　または　你爸爸今年多大岁数了？
＊相手の父親の年をたずねるときは、丁寧な言葉を使うべきです。しかし、相手に対しては「您」を使う必要はなく、「你」で大丈夫です。

④ 现在差五分十二点了。

もっと知りたい！

日本語と中国語のここが違う②

　日本語と中国語の間で、漢字の形が微妙に違うものがあります。よく見て、チェックしてみましょう。

（日本語）	（中国語）
骨	骨
対	对
別	別
魚	鱼
黒	黑
銭	钱
涼	凉
氷	冰

文法編

第3章

形容詞の用法と動作を表す動詞の使い方を身につけましょう。
完了や経験を表す助詞も学習します。

UNIT 11　形容詞の使い方①　形容詞述語文 ················ 108
UNIT 12　形容詞の使い方②　強調の「太～了」············ 116
UNIT 13　動詞の文の表現 ······························ 124
UNIT 14　助動詞の使い方 ······························ 130
UNIT 15　完了を表す「了」と経験を表す「过」············ 136

● CD 57〜CD 77

UNIT 11 形容詞の使い方① 形容詞述語文
天気は暑いですか

中国語の形容詞は「形容詞述語文」をつくります。主語と形容詞を直接つなぎ、「是」は必要ありません。中国語特有の文の形を理解しましょう。

●CD-57

❶ 天气热吗？
Tiān qì rè ma?
ティエン チー ラー マ
↑「主語＋形容詞」で文が成立する

❷ 热，天气很热。
Rè, tiān qì hěn rè.
ラー ティエン チー ヘン ラー

❸ 不热，天气不热。
Bú rè, tiān qì bú rè.
ブー ラー ティエン チー ブー ラー

❹ 天气怎么样？
Tiān qì zěn me yàng?
ティエン チー ヅェン マ ヤン
↑性質・状態をたずねる疑問代詞

❺ 天气非常热。
Tiān qì fēi cháng rè.
ティエン チー フェイ チャン ラー
↑強い程度を表す副詞

✓ 学習のポイント

◉ 形容詞述語文：「主語 + 形容詞」
◉ 「怎么样」（いかが？、どう？）の使い方を身につける

天 气 非 常 热。

❶ 天気は暑いですか。
❷ はい、天気は暑いです。
❸ いいえ、天気は暑くありません。
❹ 天気はどうですか。
❺ 天気は非常に暑いです。

本文単語　CD-58

- 天气 tiān qì　天気
- 很 hěn　とても
- 非常 fēi cháng　大変に、非常に
- 热 rè　暑い
- 怎么样 zěn me yàng　いかが？、どう？

補充単語

- 冷 lěng　寒い
- 闷热 mēn rè　蒸し暑い
- 凉快 liáng kuai　涼しい
- 累 lèi　疲れている
- 好 hǎo　好い、素晴らしい
- 漂亮 piào liang　きれいだ、美しい
- 日餐 rì cān　日本料理
- 好吃 hǎo chī　美味しい　＊食べ物を形容する。
- 暖和 nuǎn huo　暖かい
- 忙 máng　忙しい
- 比较 bǐ jiào　比較的
- 胖 pàng　太っている
- 风景 fēng jǐng　風景、景色
- 中餐 zhōng cān　中華料理

中国語の文法公式を覚えよう

公式 24 「形容詞述語文」は形容詞が述語になり、「是」は不要

● CD-59

　形容詞述語文とは、形容詞が述語の役割を果たす文のことです。「主語＋形容詞」の形で、他に述語は必要ありません。「是」は「〜は〜だ」と訳すので、「是」を入れると日本語の訳にぴったり合うので間違いやすいですが、「是」は不要です。

（主語＋形容詞）［形容詞述語文］

Tiān qì lěng ma?
天气冷吗？（天気は寒いですか）

✓「冷」という形容詞が述語の役割を果たします。

（主語＋是＋名詞）［ふつうの文］

Zhè shì Hàn yǔ bào zhǐ。
这是汉语报纸。（これは中国語の新聞です）

✓「是」が述語の役割を果たします。

❶ 肯定文

Tiān qì hěn nuǎn huo。
天气很暖和。（天気は暖かいです）

✓ 形容詞述語文の肯定形では、基本的に形容詞の前に副詞の「很」が必要です。しかし、「很」の本来持つ「とても」という意味はありません。言わば、「很」はお飾りのようなものです。

❷ 否定文

Tiān qì bù nuǎn huo。
天气不暖和。（天気は暖かくありません）

✓ 形容詞の前に「不」を付けると、否定文になります。

❸ 疑問文

<small>Tiān qì nuǎn huo ma?</small>
天气暖和吗？（天気は暖かいですか）

✓ 文末に「吗」を付けると、疑問文になります。

❹ 反復疑問文

<small>Tiān qì nuǎn huo bù nuǎn huo?</small>
天气暖和不暖和？（天気は暖かいですか）

✓ 形容詞述語文の否定形は「不 + 形容詞」なので、反復疑問文は「形容詞 + 不 + 形容詞」という形になります。

形容詞述語文の否定形と疑問形には、「很」は必要ありません。もし、「很」を付け加えると、本来の「とても」という意味を持つことになります。

<small>Tiān qì bù hěn mēn rè.</small>
天气不很闷热。（天気はそれほど蒸し暑くありません）

<small>Tiān qì hěn mēn rè ma?</small>
天气很闷热吗？（天気はすごく蒸し暑いですか）

また、形容詞述語文は「是」や「有」の文と同様に、過去、現在、未来というアスペクト（時制）を表したい場合には、文頭に時間を表す「時間詞」を置きます。

<small>Zuó tiān wǒ hěn máng.</small>
昨天我很忙。（昨日、私は忙しかったです）

<small>Jīn tiān wǒ hěn máng.</small>
今天我很忙。（今日、私は忙しいです）

<small>Míng tiān wǒ hěn máng.</small>
明天我很忙。（明日、私は忙しいです）

形容詞を意識して覚える

　日本語では、形容詞の多くは語尾が「い」で終わる特徴があり、識別しやすくなっています。しかし、中国語の形容詞にはそのような特徴がなく、日本人学習者にとって、どれが形容詞かなかなか見分けがつきません。また、中国語では形容詞に属する単語が多く、日本語では動詞でも中国語では形容詞に属するものがあります。例えば、「累」（疲れた）や「胖」（太った）などです。
　そういうわけで、形容詞述語文を正しく使いこなすためには、どれが形容詞なのかあらかじめ覚えておくことが大切になります。これは初級者のみならず、中上級者のテーマでもあります。

公式 25 「怎么样」は性質・状態をたずねる

CD-60

「怎么样」は、人や物、事柄の性質や状態をたずねるときに使います。語順は「人・物・事など＋怎么样」になります。

人・物・事 ＋ 怎么样　～はいかが？、～はどう？

Zhè ge rén zěn me yàng?
这个人怎么样？（この人はどんな人ですか）

Zhè ge rén hěn hǎo.
这个人很好。（この人は好い人です）

Nàr de fēng jǐng zěn me yàng?
那儿的风景怎么样？（あそこの景色はいかがですか）

Nàr de fēng jǐng hěn piào liang.
那儿的风景很漂亮。（あそこの景色は美しいです）

中国マメ知識③

中国茶について

　中国茶と言えば、多くの日本人はウーロン茶だと思っているかもしれません。しかし、実は中国で一番飲まれているお茶はウーロン茶ではなくジャスミン茶です。中国茶は緑茶、菊花茶、プーアル茶などたくさんの種類があります。

　中国人はとにかくよくお茶を飲みます。蓋付きの大きな湯呑みにそのまま茶葉を入れ熱湯を注ぎます。お茶は全部飲み切らずに少し残しておき、また熱湯を注ぎ、また飲みます。このように2、3回繰り返してお茶を楽しむのです。

　脂っこい中華料理を中国茶で洗い流す――よくお茶を飲むのは、それが理に適っているからかもしれませんね。

超かんたん　10分間エクササイズ

1　次のピンインを中国語に書き直し、日本語に訳してみましょう。

① Tiān qì hěn rè。
　_____

② Tiān qì bú rè。
　_____

③ Tiān qì rè bu rè?
　_____

④ Tiān qì zěn me yàng?
　_____

2　次の文の間違いを訂正してみましょう。

① 天气冷。　　　　　_____

② 我是胖。　　　　　_____

③ 这儿的风景是好吗？_____

④ 中餐没有好吃。　　_____

3　次の日本語の文を中国語に訳してみましょう。

① 日本料理は美味しいですか。(反復疑問文を使う)
　_____

② このパソコンはいかがですか。
　_____

③ 私は今日、疲れています。
　_____

④ 姉はすごくきれいです。
　_____

正解・解説

1

① 天气很热。　　　　　天気は暑いです。
② 天气不热。　　　　　天気は暑くありません。
③ 天气热不热?　　　　天気は暑いですか。
④ 天气怎么样?　　　　天気はどうですか。

2

① 天气很冷。　または　天气不冷。
＊形容詞述語文の肯定文は形容詞の前に必ず「很」を付けます。否定文は「不」を付けます。

② 我很胖。　または　我不胖。
＊形容詞述語文は形容詞が述語の役割を果たすので、「是」は必要ありません。

③ 这儿的风景好吗?
＊「是」は入りません。

④ 中餐不好吃。

3

① 日餐好吃不好吃?
＊形容詞述語文の反復疑問文は「形容詞の肯定形 + 形容詞の否定形」です。

② 这台电脑怎么样?
＊「物 + 怎么样」という形になります。

③ 今天我很累。
④ 我姐姐非常漂亮。
＊普通の程度なら「很」を使いますが、普通以上の程度を表したい場合、その程度を表す副詞を形容詞の前に付けます。

UNIT 12 形容詞の使い方② 強調の「太〜了」
この腕時計はすごく高いです

強い程度を表す形容詞の強調表現「太〜了」と、指示代詞に「个」を付ける言い方を学習します。また、中国語のお金の単位とその使い方もいっしょに覚えることにしましょう。

● CD-61

❶ 这块手表贵吗？
Zhè kuài shǒu biǎo guì ma?
ヂャー クゥアイ シォウ ビィアオ グゥイ マ

❷ 太贵了，这块手表太贵了。
Tài guì le, zhè kuài shǒu biǎo tài guì le.
タイ グゥイ ラ　ヂャー クゥアイ シォウ ビィアオ タイ グゥイ ラ
「太〜了」で形容詞を強調する

❸ 不太贵，这块手表不太贵。
Bú tài guì, zhè kuài shǒu biǎo bú tài guì.
ブー タイ グゥイ　ヂャー クゥアイ シォウ ビィアオ ブー タイ グゥイ
↑否定形は「不」が付いて、「了」が取れる

❹ 这块手表多少钱？
Zhè kuài shǒu biǎo duō shao qián?
ヂャー クゥアイ シォウ ビィアオ ドゥオ シァオ チィエン
↑値段をたずねる疑問代詞

❺ 这个多少钱？
Zhè ge duō shao qián?
ヂャー ガ ドゥオ シァオ チィエン

✓ 学習のポイント

- 「太 + 形容詞 + 了」(すごく〜だ／非常に〜だ)
- お金のたずね方と言い方
- 指示代詞：「这个」(これ)、「那个」(それ、あれ)、「哪个」(どれ)

这块手表多少钱?

❶ この腕時計は高いですか。
❷ はい、この腕時計はすごく高いです。
❸ いいえ、この腕時計はあまり高くありません。
❹ この腕時計はいくらですか。
❺ これはいくらですか。

本文単語 ● CD-62

- □ 块 kuài 時計、石などを数える量詞
- □ 手表 shǒu biǎo 腕時計
- □ 太〜了 tài 〜 le すごく〜だ、大変〜だ
- □ 贵 guì （品物の値段が）高い
- □ 不太〜 bú tài あまり〜ではない、それほど〜ではない
- □ 这个 zhè ge これ
- □ 多少钱 duō shao qián いくら?

補充単語

- □ 游戏 yóu xì ゲーム
- □ 好玩儿 hǎo wánr （遊びが）面白い、楽しい
- □ 大 dà 大きい
- □ 便宜 pián yi （品物の値段が）安い
- □ 人民币 rén mín bì 人民元 ＊中国の通貨。
- □ 元 yuán 元 ＊中国通貨の単位。
- □ 角 jiǎo 角 ＊中国通貨の単位。
- □ 分 fēn 分 ＊中国通貨の単位。
- □ 块 kuài 「元」の口語
- □ 毛 máo 「角」の口語
- □ 千 qiān 千
- □ 百 bǎi 百
- □ 零 líng ゼロ

UNIT 12

117

中国語の文法公式を覚えよう

公式 26 「指示代詞 ＋ 个」の使い方　●CD-63

　「这」（これ）、「那」（それ、あれ）、「哪」（どれ）は物や人を指す指示代詞で、UNIT 4で学びました。ここでは、「指示代詞 ＋ 个」の使い方を練習します。意味は、「这个」（これ）、「那个」（それ、あれ）、「哪个」（どれ）とまったく同じですが、使い分けが必要な場合があります。

这	这个
这 ＋ 是 ＋ 名詞	
Zhè shì shǒu biǎo。 **这是手表。** （これは腕時計です）	×
这 ＋ 量詞 ＋ 名詞	
Zhè kuài shǒu biǎo。 **这块手表** （この腕時計）	×
×	这个 ＋ 形容詞 Zhè ge hěn guì。 **这个很贵。** （これは高いです）
×	名詞 ＋ 是 ＋ 这个 Shǒu biǎo shì zhè ge。 **手表是这个。** （腕時計はこれです）

✓「那个」、「哪个」の使い方も同様です。

公式 27 形容詞を強調する「太~了」
（すごく~だ／非常に~だ）

● CD-64

「太~了」は形容詞が普通以上の程度を表すときに使います。否定形は「不太~」、疑問形は形容詞述語文の疑問形の形になります。

Zhè ge yóu xì tài hǎo wánr le。
这个游戏太好玩儿了。
（このゲームはすごく面白いです）

Zhè ge yóu xì bú tài hǎo wánr。
这个游戏不太好玩儿。
（このゲームはあまり面白くありません）

Zhè ge yóu xì hǎo wánr ma?
这个游戏好玩儿吗? （このゲームは面白いですか）

✓「太~了」の構文の簡潔な答え方は、肯定形なら「太 + 形容詞 + 了」、否定形なら「不太 + 形容詞」という形にします。

副詞が表す程度の目安

中国語の副詞は動詞や形容詞の程度を表します。たとえば、「大」という形容詞なら、どのくらい大きいか——その程度を表すが副詞の役割です。「副詞 + 動詞」「副詞 + 形容詞」という形をとります。

Zhè ge hěn dà。
这个很大。（これは大きいです）

Zhè ge bǐ jiào dà。
这个比较大。（これは比較的大きいです）

Zhè ge fēi cháng dà。
这个非常大。（これは非常に大きいです）

Zhè ge tài dà le。
这个太大了。（これはすごく大きいです）

● 完全否定(不)と部分否定(不太)

Zhè ge bù pián yi。
这个**不**便宜。（これは安くありません）［完全否定］

Zhè ge bú tài pián yi。
这个**不太**便宜。
（これはあまり安くありません）［部分否定］

公式 28　金額は「物 ＋ 多少钱」（〜はいくら？）でたずねる　● CD-65

　金額をたずねるときには、その多寡に関係なく「多少」を使います。「几」は使いません。「多少钱」は1つの単語として覚えておくと便利でしょう。また、「多少钱？」は、たずねる対象の後ろに置くのが普通です。

（物 ＋ 多少钱）　〜はいくら？

Zhè bǎ yǔ sǎn duō shao qián?
这把雨伞**多少钱**？（この傘はいくらですか）

Nà jiàn yī fu duō shao qián?
那件衣服**多少钱**？（あの洋服はいくらですか）

（指示代詞 ＋ 多少钱）　〜はいくら？

Zhè ge duō shao qián?
这个**多少钱**？（これはいくらですか）

Zhè xiē duō shao qián?
这些**多少钱**？（これらはいくらですか）

公式29 お金の言い方は口語と文語で違う

●CD-66

中国の通貨は中国語で「人民币 rén mín bì」と言います。日本では「元 yuán」と呼ばれていますが、「元」は中国の通貨の単位です。通貨の単位は文章用と口語用の2種類があり、またそれぞれに3つの単位があり、ちょっと面倒です。

買い物の際には、文章用の単位で書かれている値札の金額を見て、口語用の単位で言います。口語用の単位もしっかりと覚えておくことが大切です。

(文章用)： 元 角 分
　　　　　yuán jiǎo fēn

(口語用)： 块 毛 分
　　　　　kuài máo fēn

✓ 1元＝10角＝100分

✓ 1桁の「二」は「两」を使います。　两块　两毛　两分

「千」の場合：「两千 liǎng qiān」

「百」の場合：「两百 liǎng bǎi」と「二百 èr bǎi」のどちらでも大丈夫です。

✓ 3つの単位を同時に使う場合：「块.毛 分」

liǎng qiān èr bǎi	èr shi	èr kuài	liǎng máo	èr
2　2	2	2.	2	2

✓ 最下位の単位は省略することができます。

(文章用)	(口語用)
2.00元	两 块 (liǎng kuài)
3.20元	三 块 两 毛 (sān kuài liǎng máo)
24.00元	二 十 四 块 (èr shi sì kuài)
203.00元	二 百 零 三 块 (èr bǎi líng sān kuài)

✓ 最下位の桁の数字が「0」の場合には、省略することができます。

超かんたん　10分間エクササイズ

1 次のピンインを中国語の簡体字に書き直し、日本語に訳してみましょう。

① Zhè kuài shǒu biǎo guì ma?
_____

② Zhè kuài shǒu biǎo bú tài guì。
_____

③ Zhè kuài shǒu biǎo tài guì le。
_____

④ Zhè ge duō shao qián?
_____

2 次の言葉を正しい語順に並べ替え、日本語に訳してみましょう。

① 衣服　件　那　吗　贵　_____?

② 太　游戏　个　这　了　好玩儿　_____。

③ 名牌儿　这　手表　块　多少钱　_____?

④ 便宜　比较　个　哪　_____?

3 次の日本語の文を中国語に訳してみましょう。

① これは高いです。
_____

② あのブランド服は人民元で200元です。(口語用を使う)
_____

③ このスマートホンは高すぎます。
_____

④ これはそれほど高くありません。
_____

正解・解説

1

① 这块手表贵吗? 　　この腕時計は高いですか。
② 这块手表不太贵。　 この腕時計はそれほど高くありません。
③ 这块手表太贵了。　 この腕時計は高すぎます。
④ 这个多少钱? 　　　これはいくらですか。

2

① 那件衣服贵吗? 　　　　　　あの洋服は高いですか。
② 这个游戏太好玩儿了。　　　このゲームはすごく面白いです。
③ 这块名牌儿手表多少钱? 　 このブランド腕時計はいくらですか。
④ 哪个比较便宜? 　　　　　　どれが比較的安いですか。

3

① 这个很贵。
  ＊形容詞述語文の肯定形は、形容詞の前に必ず副詞が必要です。

② 那件名牌儿衣服人民币两百块(二百块)。
  ＊二百の場合、「二」と「两」のどちらでもOKです。

③ 这个智能手机太贵了。
  ＊「太～了」は普通以上の程度を表します。

④ 这个不太贵。
  ＊「太～了」の否定形は「不太～」。「了」がなくなるので、注意しましょう。

UNIT 13 動詞の文の表現
私はコーヒーを飲みます

動詞はこれまでに「是」「有」を紹介しましたが、この UNIT では動作を表す一般的な動詞の文を学びます。動詞の文の応用として、時間詞の挿入のしかたも練習します。

🔴 CD-67

❶ **你 喝 咖 啡 吗？**
Nǐ hē kā fēi ma?
ニー ハー カー フェイ マ
↑「喝」は「飲む」という動作を表す

❷ **喝，我 喝 咖 啡。**
Hē, wǒ hē kā fēi.
ハー ウオ ハー カー フェイ

❸ **不 喝，我 不 喝 咖 啡。**
Bù hē, wǒ bù hē kā fēi.
ブー ハー ウオ ブー ハー カー フェイ
↑「不」を使って、否定文をつくる

❹ **你 喝 什 么？**
Nǐ hē shén me?
ニー ハー シェン マ

❺ **我 每 天 早 上 喝 红 茶，不 喝 咖 啡。**
Wǒ měi tiān zǎo shang hē hóng chá, bù hē kā fēi.
ウオ メイ ティエン ヅァオ シァン ハー ホン チァー ブー ハー カー フェイ
↑「時間詞」は動作がいつ行われるかを示す

✓ 学習のポイント

- 「人 + 動詞 + 目的語」(〜は〜をする)
- 「人 + 時間詞 + 動詞 + 目的語」(〜はいつに〜をする)
- 「请」(どうぞ〜してください)

我 喝 咖 啡。

❶ あなたはコーヒーを飲みますか。
❷ はい、私はコーヒーを飲みます。
❸ いいえ、私はコーヒーを飲みません。
❹ あなたは何を飲みますか。
❺ 私は毎朝紅茶を飲みます、コーヒーは飲みません。

本文単語　🔴 CD-68

- 喝 hē　飲む
- 每天 měi tiān　毎日
- 红茶 hóng chá　紅茶
- 咖啡 kā fēi　コーヒー
- 早上 zǎo shang　朝、早朝

補充単語

- 花茶 huā chá　ジャスミン茶
- 绍兴酒 shào xīng jiǔ　紹興酒
- 果汁 guǒ zhī　ジュース
- 什么时候 shén me shí hou　いつ？
- 请 qǐng　〜してください　*相手に何かを頼むときに使う。
- 坐 zuò　座る、(乗り物に)乗る
- 等 děng　待つ
- 晚上 wǎn shang　夜、晩
- 下午 xià wǔ　午後
- 乌龙茶 wū lóng chá　ウーロン茶
- 稍 shāo　少し、しばらく
- 好喝 hǎo hē　美味しい　*飲み物を表す。

UNIT 13

中国語の文法公式を覚えよう

公式 30 「動作を表す動詞」の基本形は英語と同じである

🔴 CD-69

動作を表す動詞は、たとえば「食べる」「遊ぶ」「寝る」「勉強する」などです。これらの動詞は目的語を伴う場合、語順は英語に近く、目的語は動詞の後にきます。また、これらの動詞の文は「時間詞」を入れることで、動作が行われる時間を表現できます。

> 主語 ＋ 動詞 ＋ 目的語　〜は〜をする。

Nǐ hē huā chá ma?
你喝花茶吗？（あなたはジャスミン茶を飲みますか）

Hē, wǒ hē huā chá.
喝，我喝花茶。（はい、私はジャスミン茶を飲みます）

Bù hē, wǒ bù hē huā chá.
不喝，我不喝花茶。
（いいえ、私はジャスミン茶を飲みません）

Nǐ hē bù hē huā chá?
你喝不喝花茶？（あなたはジャスミン茶を飲みますか）

✓ 反復疑問文は「動詞の肯定形 ＋ 同じ動詞の否定形」です。動詞の否定形は「不 ＋ 動詞」なので、反復疑問文は「動詞 ＋ 不 ＋ 動詞」という形になります。

● 動詞の文に時間詞を入れる表現

> 主語 ＋ 時間詞 ＋ 動詞 ＋ 目的語　〜は（いつ）に〜をする。

Wǒ měi tiān wǎn shang hē shào xīng jiǔ.
我**每天晚上**喝绍兴酒。（私は毎晩、紹興酒を飲みます）

Wǒ xià wǔ bù hē guǒ zhī, hē wū lóng chá.
我**下午**不喝果汁、喝乌龙茶。
（私は午後ジュースは飲みません、ウーロン茶を飲みます）

Nǐ shén me shí hou hē shào xīng jiǔ?
你什么时候喝绍兴酒？

（あなたはいつ紹興酒を飲みますか）

✓「什么时候」は時間をたずねる疑問代詞なので、時間を表す時間詞で答えます。

● 時間の疑問代詞は主語の後に

　時間詞を置く位置は、主語の前後のどちらでも大丈夫です。主語の後に置くと、時間詞を少し強調することになります。「什么时候」は時間をたずねるときに使いますが、強調する必要があるので、主語の後に置かないといけません。

你什么时候喝？　○　　　什么时候你喝？　×

「请」の使い方

「请」は相手に何かを頼むときに用いる表現です。

请 ＋ 動詞　どうぞ〜してください。

Qǐng zuò。
请 坐 。（どうぞおかけください）

Qǐng hē chá。
请 喝 茶 。（お茶をどうぞ）

Qǐng shāo děng。
请 稍 等 。（少々お待ちください）

超かんたん　10分間エクササイズ

1 次のピンインを中国語の簡体字に書き直し、日本語に訳してみましょう。

① Wǒ hē kā fēi。

_____

② Tā bù hē hóng chá。

_____

③ Nǐ hē shén me?

_____

④ Wǒ měi tiān zǎo shang hē kā fēi。

_____

2 下の___の言葉を相当する疑問代詞に入れ替え、疑問詞疑問文を作りましょう。また、日本語に訳してみましょう。

① 他喝绍兴酒。　　_____

② 她喝果汁。　　　_____

③ 这是绍兴酒。　　_____

④ 他早上喝花茶。　_____

3 次の中国語の文を日本語に訳してみましょう。

① 少々お待ちください。

_____

② コーヒーをどうぞ。

_____

③ 私はお酒を飲みません、お茶をいただきます。

_____

④ 中国の紹興酒は美味しいです。

_____

助動詞の使い方
私は北京ダックを食べたいです

は文字通り動詞を助けるもので、動詞の前に置いて、その動詞を
トします。この UNIT では、日常でよく使われる 3 つの助動詞を
げます。

🔴 CD-70

xiǎng chī běi jīng kǎo yā。
想 吃 北 京 烤 鴨。
シィアン チー ベイ ヂィン カオ ヤー
↑「〜したい」を表す助動詞

míng tiān děi zǎo qǐ。
明 天 得 早 起。
ミィン ティエン デイ ヅァオ チー
↑「〜しなければならない」を表す助動詞

dǎ suàn mǎi yí liàng chē。
打 算 买 一 辆 车。
ダー スゥアン マイ イー リィアン チャー
↑「〜するつもりである」を表す助動詞

dǎ suàn míng nián mǎi yí liàng chē。
打 算 明 年 买 一 辆 车。
ダー スゥアン ミィン ニィエン マイ イー リィアン チャー

xiǎng bu xiǎng chī jiǎo zi?
想 不 想 吃 饺 子？
シィアン ブ シィアン チー ヂィアオ ヅ
↑「助動詞 + 不 + 助動詞」で反復疑問文をつくる

正解・解説

1

① 我喝咖啡。　　　　　　　私はコーヒーを飲み
② 他(她)不喝红茶。　　　　彼(彼女)は紅茶を飲
③ 你喝什么?　　　　　　　あなたは何を飲みま
④ 我每天早上喝咖啡。　　　私は毎朝コーヒーを

2

① 谁喝绍兴酒?　　　　　　誰が紹興酒を飲みま
② 她喝什么?　　　　　　　彼女は何を飲みます
③ 这是什么酒?　　　　　　これは何のお酒です
④ 他什么时候喝花茶?　　　彼はいつジャスミン

3

① 请稍等。
　＊「请」は文頭に置き、「请 + 動詞」という形で、「どう
　　意味を表します。
② 请喝咖啡。
　＊目的語がある場合、「请 + 動詞 + 目的語」という
③ 我不喝酒,喝茶。
　＊動詞の否定形は動詞の前に「不」を付けます。
④ 中国的绍兴酒很好喝。
　＊「好喝」は形容詞なので、普通の程度であれば、形
　　を忘れないでください。

✓ 学習のポイント

- 「想」(〜したい)、「得」(〜しなければならない)、「打算」(〜するつもりだ)
- 2文字以上の動詞・形容詞・助動詞の反復疑問文

我打算买一辆车。

❶ 私は北京ダックを食べたいです。
❷ 私は明日早く起きないといけません。
❸ 私は車を1台買うつもりです。
❹ 私は来年、車を1台買うつもりです。
❺ あなたは餃子を食べたいですか。

本文単語 CD-71

- 想 xiǎng 〜したい
- 北京烤鸭 běi jīng kǎo yā 北京ダック
- 早起 zǎo qǐ 早く起きる
- 买 mǎi 買う、購入する
- 车 chē 車、乗用車
- 吃 chī 食べる
- 得 děi 〜しなければならない
- 打算 dǎ suan 〜するつもりだ
- 辆 liàng 車などを数える量詞
- 饺子 jiǎo zi 餃子

補充単語

- 冰激凌 bīng ji líng アイスクリーム
- 加班 jiā bān 残業する
- 包子 bāo zi 肉まん
- 减肥 jiǎn féi ダイエットする
- 瘦 shòu 痩せた、スマートな
- 早饭 zǎo fàn 朝ごはん
- 不用 bú yòng 〜しなくていい
- 搬家 bān jiā 引越しする
- 好吃 hǎo chī 美味しい ＊食べ物を表す。
- 出差 chū chāi 出張する
- 巧克力 qiǎo kè lì チョコレート

UNIT 14

中国語の文法公式を覚えよう

公式 31　「助動詞」は動詞の前に置く　● CD-72

　助動詞は動詞を助ける役割を果たすので、必ず動詞の前に置かなければなりません。そのためには、どの単語が助動詞なのかをあらかじめ覚えておく必要があります。

Nǐ xiǎng chī bīng ji líng ma?
你想吃冰激凌吗？
（あなたはアイスクリームを食べたいですか）

Xiǎng chī, wǒ xiǎng chī bīng ji líng。
想吃，我想吃冰激凌。
（はい、私はアイスクリームを食べたいです）

Bù xiǎng chī, wǒ bù xiǎng chī bīng ji líng。
不想吃，我不想吃冰激凌。
（いいえ、私はアイスクリームを食べたくありません）

Nǐ xiǎng bù xiǎng chī bīng ji líng?
你想不想吃冰激凌？
（あなたはアイスクリームを食べたいですか）

✓ 助動詞の反復疑問文は「助動詞＋不＋助動詞」の形になります。また、助動詞を使った疑問文への簡潔な答え方は、助動詞と動詞の両方を使って答えるのが一般的です。

● 助動詞の否定形

　助動詞の否定形は基本的に「不＋助動詞」の形となりますが、例外もあります。特殊な否定形も覚えておきましょう。

「想」の否定　→　**不想**　（〜したくない）
「得」の否定　→　**不用**　（〜しなくていい）
「打算」の否定　→　**不打算**　（〜するつもりはない）

Wǒ bú yòng jiā bān。
我不用加班。（私は残業しなくてもいいです）

UNIT 15 完了を表す「了」と経験を表す「过」
～しました／～したことがあります

中国語では「了」を使って動作の完了を表します。「过」を使って過去に起こったことや、経験を表します。どちらも語順を意識して練習しましょう。

🔴 CD-74

❶ 我们昨天吃火锅了。
Wǒ men zuó tiān chī huǒ guō le.
ウオ メン ヅゥオ ティエン チー ホゥオ グゥオ ラ
　　　　　　　　　　　　　　　　　　　↑動作の完了を表す助詞

❷ 我们昨天吃了两种火锅。
Wǒ men zuó tiān chī le liǎng zhǒng huǒ guō.
ウオ メン ヅゥオ ティエン チー ラ リィアン ヂォン ホゥオ グゥオ
↑目的語が2語以上なら動詞の直後に置く

❸ 我们没吃火锅，包饺子了。
Wǒ men méi chī huǒ guō, bāo jiǎo zi le.
ウオ メン メイ チー ホゥオ グゥオ バオ ヂィアオ ヅ ラ
　　　　↑否定文の場合は「了」は取れる

❹ 我学过汉语。
Wǒ xué guo Hàn yǔ.
ウオ シュエ グゥオ ハン ユイ
　　　　↑経験を表す助詞

❺ 我没学过汉语。
Wǒ méi xué guo Hàn yǔ.
ウオ メイ シュエ グゥオ ハン ユイ

正解・解説

1

① 我想吃北京烤鸭。　　　私は北京ダックを食べたいです。

② 他(她)打算买车。　　　彼(彼女)は車を買うつもりです。

③ 我不想吃饺子。　　　　私は餃子を食べたくありません。

④ 我明天得早起。　　　　私は明日、早く起きなければなりません。

2

① 他明年不打算买车。　　彼は来年、車を買うつもりはありません。

② 我下星期得出差。　　　私は来週、出張に行かなければなりません。

③ 我明天不用早起　　　　私は明日、早く起きなくていいです。

④ 你想不想减肥?　　　　あなたはダイエットをしたいですか。

3

① 她很瘦, 不用减肥。

　＊「瘦」は形容詞です。助動詞「得」の否定形は「不用」です。

② 我想吃巧克力。

③ 你想不想喝咖啡?

　＊助動詞の反復疑問文は「助動詞の肯定形 ＋ 否定形」で、助動詞の否定形は助動詞の前に「不」を付けるので、「助動詞 ＋ 不 ＋ 助動詞」という形になります。

④ 我不吃早饭。

　＊動詞の否定形は動詞の前に「不」を付けます。

超かんたん　10分間エクササイズ

1 次のピンインを中国語の簡体字に書き直し、日本語に訳してみましょう。

① Wǒ xiǎng chī běi jīng kǎo yā。
_____

② Tā dǎ suan mǎi chē。
_____

③ Wǒ bù xiǎng chī jiǎo zi。
_____

④ Wǒ míng tiān děi zǎo qǐ。
_____

2 次の言葉を正しい語順に並べ替え、また日本語に訳してみましょう。

① 车　他　不　明年　打算　买　_____。

② 下星期　出差　得　我　_____。

③ 用　我　不　早起　明天　_____。

④ 减肥　想　你　不想　_____？

3 次の日本語の文を中国語に訳してみましょう。

① 彼女はスマートなので、ダイエットをする必要はありません。
_____

② 私はチョコレートを食べたいです。
_____

③ あなたはコーヒーを飲みたいですか。(反復疑問文を使う)
_____

④ 私は朝ごはんを食べません。
_____

● **助動詞の文に時間詞を入れる**

時間詞の入れ方には、2通りの方法があります。

① 主語 ＋ 助動詞 ＋ 時間詞 ＋ 動詞 ＋ 目的語

Wǒ dǎ suan jīn nián bān jiā.
我打算今年搬家。（私は今年は引越しをするつもりです）

✓ この場合は、時間を強調します。つまり、引っ越しをするという時間は今年だということを強調する表現になります。

② 主語 ＋ 時間詞 ＋ 助動詞 ＋ 動詞 ＋ 目的語

Wǒ jīn nián dǎ suan bān jiā.
我今年打算搬家。（私は今年引越しをするつもりです）

✓ この場合は、助動詞と動詞を強調します。つまり、引っ越しをする予定があるということを強調します。日本語の訳はあまり違いが見られませんが、中国語のニュアンスの違いをしっかりと意識しておきましょう。

公式32 2文字以上の動詞・形容詞・助動詞の反復疑問文　●CD-73

動詞、形容詞、助動詞で2文字以上のものの反復疑問文の作り方は、次の2通りがあります。

① 肯定形 ＋ 否定形　　② 肯定形の最初の文字 ＋ 否定形

Bāo zi hǎo chī bù hǎo chī?　　Bāo zi hǎo bù hǎo chī?
包子好吃不好吃？　　**包子好不好吃？**
（肉まんは美味しいですか）

Nǐ dǎ suan bù dǎ suan jiǎn féi?　　Nǐ dǎ bù dǎ suan jiǎn féi?
你打算不打算减肥？　　**你打不打算减肥？**
（あなたはダイエットをするつもりがありますか）

✓ どちらも意味はまったく同じです。自分にとって使いやすいほうを決めて、使いこなせるように練習しましょう。

✓ 学習のポイント

◉ 完了の「了」と経験の「过」
◉ 否定文をつくる「不」と「没有」の使い分け

❶ 私たちは昨日、鍋料理を食べました。
❷ 私たちは昨日、2種類の鍋料理を食べました。
❸ 私たちは、鍋料理を食べませんでした。餃子を作りました。
❹ 私は中国語を習ったことがあります。
❺ 私は中国語を習ったことがありません。

本文単語 CD-75

- 昨天 zuó tiān　昨日
- 了 le　～になった　*動作の完了・実現を表す。
- 吃火锅 chī huǒ guō　鍋料理を食べる
- 包 bāo　包む、包装する
- 学 xué　習う、勉強をする
- 过 guo　～をしたことがある　*これまでの経験を表す。
- 汉语 Hàn yǔ　中国語
- 火锅 huǒ guō　鍋、鍋料理
- 种 zhǒng　種類　*種類の量詞。
- 包饺子 bāo jiǎo zi　餃子を作る

補充単語

- 衣服 yī fu　衣服、洋服
- 包子 bāo zi　肉まん
- 说 shuō　話す、話をする
- 笑 xiào　笑う
- 休息 xiū xi　休憩する、休む
- 件 jiàn　着　*洋服を数える量詞。
- 见 jiàn　会う、出会う
- 去 qù　行く、出かける
- 忘 wàng　忘れる
- 记住 jì zhù　覚える、記憶する

UNIT 15

中国語の文法公式を覚えよう

公式 33 完了の「了」と経験の「过」　●CD-76

❶「了」の使い方

「了」は動詞の後や文末に付けて、動作や行為の完了を表します。否定形「〜をしなかった」「〜をしていない」は動詞の前に「没有」を付けて、完了の「了」は消します。ただし、「没有」の「有」は省略することが多いです。

> 主語 ＋ 動詞 ＋ 目的語 ＋ 了　〜をした。

Tā mǎi yī fu le ma?
她买衣服了吗？（彼女は洋服を買いましたか）

Mǎi le, tā mǎi yī fu le.
买了，她买衣服了。（はい、彼女は洋服を買いました）

Méi mǎi, tā méi mǎi yī fu.
没买，她没买衣服。
（いいえ、彼女は洋服を買いませんでした）

Tā mǎi méi mǎi yī fu?
她买没买衣服？（彼女は洋服を買いましたか）

Tā mǎi shén me le?
她买什么了？（彼女は何を買いましたか）

ただし、目的語が単一の単語ではなく、複数の単語の組み合わせの場合には、「了」は文末ではなく、必ず動詞の後ろに置きます。

> 主語 ＋ 動詞 ＋ 了 ＋ 目的語（複数の単語）

Tā mǎi le liǎng jiàn yī fu.
她买了两件衣服。〇　（彼女は2着の洋服を買いました）
她买两件衣服了。×

❷「过」の使い方

「过」は動詞の後ろに付けて、過去に起こったことやかつての経験を表します。否定形は動詞の前に「没有」を付けますが、「过」はそのまま残ります。ただし、「没有」の「有」は省略することが多いです。

> 主語 ＋ 動詞 ＋ 过 ＋ 目的語　　〜をしたことがある。

Nǐ jiàn guo zhè ge rén ma?
你见过这个人吗？
（あなたはこの人に会ったことがありますか）

Jiàn guo, wǒ jiàn guo zhè ge rén.
见过，我见过这个人。
（はい、私はこの人に会ったことがあります）

Méi jiàn guo, wǒ méi jiàn guo zhè ge rén.
没见过，我没见过这个人。
（いいえ、私はこの人に会ったことはありません）

Nǐ jiàn guo méi jiàn guo zhè ge rén?
你见过没见过这个人？
（あなたはこの人に会ったことがありますか）

✓ この疑問文への簡潔な答え方は、「動詞 + 过」を使って答えます。

◉ 文中にある「没有」の「有」を省略する

会話のときには、文中にある「没有」の「有」を省略することができます。省略しても意味は変わりません。

Wǒ méi yǒu shí jiān.　　　　Wǒ méi shí jiān.
我没有时间。　→　**我没时间。**
（私は時間がありません）

Nǐ shuō méi yǒu shuō?
你说没有说？ → 你说没说？
Nǐ shuō méi shuō?
（あなたは言いましたか）

Nǐ qù guo méi yǒu qù guo?
你去过没有去过？ → 你去过没去过？
Nǐ qù guo méi qù guo?
（あなたは行ったことがありますか）

ただし、次の場合は、「有」を省略してはいけません。

我没有。　　　○　　　我没。　　　×
你有没有时间？　○　　　你有没时间？　×

公式 34 「不」と「没有」の使い分け　● CD-77

「不」も「没有」も否定を表し、動詞の前に付けて否定形を作りますが、使い方が違うので用法をしっかり覚えておきましょう。

◉「不」の用法

動詞の「是」や助動詞、形容詞、副詞の前に用いて、「〜ない」という意味を表します。

是　　　Zhè bú shì wǒ de。
　　　这不是我的。（これは私のものではありません）

助動詞　Wǒ bù xiǎng chī zǎo fàn。
　　　我不想吃早饭。（私は朝ご飯を食べたくありません）

形容詞　Jīn tiān bù lěng。
　　　今天不冷。（今日は寒くありません）

副詞　　Tā men bù dōu shì Zhōng guó rén。
　　　他们不都是中国人。
　　　（彼らはみんなが中国人というわけではありません）

● 「没有」の用法

「有」の否定形で、「〜がない」「〜を持っていない」という意味を表します。

有　　　Tā méi yǒu chē。
　　　　他 没 有 车。（彼は車を持っていません）

● 「不」と「没有」を動作の動詞の前に用いる場合の違い

「不」は今やこれから起こることについての否定で、その人の意思を否定します。「没有」は過去に起こったことについての否定で、事柄や状態を否定します。「了」と「过」はいずれも過去を表すので、「没有」を使って否定形を作ります。

不 ＋ 動詞　　〜をしない

Wǒ bù chī běi jīng kǎo yā。
我 不 吃 北 京 烤 鸭。（私は北京ダックを食べません）

没(有) ＋ 動詞　　〜をしなかった

Wǒ méi chī běi jīng kǎo yā。
我 没 吃 北 京 烤 鸭。（私は北京ダックを食べませんでした）

Wǒ méi chī guo běi jīng kǎo yā。
我 没 吃 过 北 京 烤 鸭。
（私は北京ダックを食べたことがありません）

中国マメ知識④

中華料理

中国の四大料理と言われるのは、北京料理、上海料理、四川料理、広東料理です。料理の特徴は、東は辛い、西はすっぱい、北は塩辛い、南は甘い、というものです。

また、中国には、「空を飛ぶものは飛行機以外、4本の足が付いているものは机以外、何でも食べる」という言い方があります。

UNIT 15

超かんたん　10分間エクササイズ

1 次のピンインを中国語の簡体字に書き直し、日本語に訳してみましょう。

① Wǒ men chī huǒ guō le。
_____

② Wǒ men méi bāo jiǎo zi。
_____

③ Nǐ xué guo Hàn yǔ ma?
_____

④ Wǒ méi xué guo Yīng yǔ。
_____

2 次の日本語の文の意味に合うように、中国語の文の間違いを訂正してみましょう。

① 我没包包子了。
　私は肉まんを作りませんでした。　_____

② 他不去过中国。
　彼は中国に行ったことがありません。　_____

③ 我们吃两种火锅了。
　私たちは2種類の鍋料理を食べました。　_____

3 次の日本語の文を中国語に訳してみましょう。

① 私は昨日、洋服を1着買いました。それほど高くありませんでした。
_____

② 私たちは今日、餃子を食べました。
_____

③ 私は全部覚えました。
_____

正解・解説

1

① 我们吃火锅了。　　　　　私たちは鍋料理を食べました。

② 我们没包饺子。　　　　　私たちは餃子を作りませんでした。

③ 你学过汉语吗?　　　　　あなたは中国語を習ったことがありますか。

④ 我没学过英语。　　　　　私は英語を習ったことがありません。

2

① 我没包包子。

＊動作の完了の否定形には「了」は不要です。

② 他没去过中国。

＊過去の経験を表す「过」の否定形は「没(有)」を使います。

③ 我们吃了两种火锅。

＊動作の完了を表す「了」は動詞の後ろもしくは文末に置きますが、目的語が単一の単語ではない場合、文末ではなく、動詞の直後に置かないといけません。目的語は「两种火锅」＝「数字 + 量詞 + 名詞」で、単一の単語ではないので、「了」は動詞の直後に置きます。

3

① 昨天我买了一件衣服。不太贵。

＊「数字 + 量詞 + 名詞」という形の目的語の場合、完了を表す「了」は動詞の直後でないといけません。

② 我们今天吃饺子了。

＊餃子は単一の目的語なので、「了」は動詞の後ろと文末、どちらでもOKです。

③ 我都记住了。

＊副詞の「都」は動詞の前に置きます。

もっと知りたい！

「好 + 動詞」のよく使う形容詞

　「好 + 動詞」という形で形容詞として使います。以下は、よく使う組み合わせです。

好吃	好 + 吃	美味しい（食べ物）
好喝	好 + 喝	美味しい（飲み物）
好听	好 + 听	きれい（音、音楽）
好看	好 + 看	きれい（見た目）
好用	好 + 用	使いやすい
好走	好 + 走	歩きやすい
好买	好 + 买	手に入りやすい
好做	好 + 做	作りやすい
好懂	好 + 懂	わかりやすい
好写	好 + 写	書きやすい

文法編

第4章

動詞を使ったさまざまな表現と重要な前置詞を身につけましょう。
UNIT 20では学んだ文法事項を総動員して自己紹介の練習をします。

UNIT 16	動作の進行を表す	146
UNIT 17	動詞の「喜欢」／動詞・前置詞の「在」	154
UNIT 18	動作の方向を表す「去」「来」／前置詞の「跟」	162
UNIT 19	前置詞「从」「到」／同時進行・動作の順序	170
UNIT 20	自己紹介をしてみよう	176

● CD 78～CD 98

UNIT 16 動作の進行を表す
今、韓国のテレビドラマを見ています

進行している動作は「正在～呢」で表します。他に「正在」だけ、「呢」だけでもOKで、全部で3つのパターンを紹介します。また、「还是」を使う選択疑問文も練習します。

CD-78

❶ 她正在看韩国电视剧呢。
　Tā zhèng zài kàn Hán guó diàn shì jù ne.
　ター ヂェン ヅァイ カン ハン グゥオ ディエン シー ヂゥイ ナ
　↑「正在～呢」で進行を表す

❷ 她正在看韩国电视剧。
　Tā zhèng zài kàn Hán guó diàn shì jù.
　ター ヂェン ヅァイ カン ハン グゥオ ディエン シー ヂゥイ
　↑「正在」だけでも進行を表す

❸ 她看韩国电视剧呢。
　Tā kàn Hán guó diàn shì jù ne.
　ター カン ハン グゥオ ディエン シー ヂゥイ ナ
　↑「呢」だけでも進行を表す

❹ 她正在干什么呢？
　Tā zhèng zài gàn shén me ne?
　ター ヂェンヅァイ ガン シェン マ ナ

❺ 你看韩国电视剧还是看日本电视剧？
　Nǐ kàn Hán guó diàn shì jù hái shi kàn Rì běn diàn shì jù?
　ター カン ハングゥオディエンシーヂゥイ ハイ シ カン リー ベンディエンシーヂゥイ
　↑選択疑問をつくる「还是」

✓ 学習のポイント

- 動作の進行を表す「正在～呢」(～をしている)
- 選択疑問文：「選択肢A + 还是 + 選択肢B」

❶ 彼女は今、韓国のテレビドラマを見ています。
❷ 彼女は今、韓国のテレビドラマを見ています。
❸ 彼女は今、韓国のテレビドラマを見ています。
❹ 彼女は今、何をしていますか。
❺ あなたは韓国のテレビドラマを見るのですか、それとも日本のテレビドラマを見るのですか。

本文単語 　CD-79

- 正在～呢 zhèng zài ～ ne　～をしている　＊動作の進行を表す。
- 看 kàn　見る、読む
- 电视剧 diàn shì jù　テレビドラマ
- 干 gàn　する、やる
- 还是 hái shi　～または～　＊選択疑問を表す。

補充単語

- 听 tīng　聴く
- 音乐 yīn yuè　音楽
- 看电影 kàn diàn yǐng　映画を観る
- 看电视 kàn diàn shì　テレビを見る
- 打棒球 dǎ bàng qiú　野球をする
- 打网球 dǎ wǎng qiú　テニスをする
- 踢足球 tī zú qiú　サッカーをする
- 打太极拳 dǎ tài jí quán　太極拳をする
- 书 shū　本、書物
- 上网 shàng wǎng　インターネットに接続する

中国語の文法公式を覚えよう

公式 35 「正在～呢」は動作の進行を表す

●CD-80

　「正在～呢」は動作の進行を表します。「主語＋正在＋動詞＋目的語＋呢」(～をしている)が基本の語順です。「正在」は動詞の前に置き、「呢」は文末に置きます。
　「正在～呢」が基本形ですが、「正在」だけ、または「呢」だけでも同じ進行の意味を表せます。どれも意味は同じなので、覚えやすいものを1つ覚えて使いこなしましょう。

◉ 現在進行の肯定文

Tā zhèng zài tīng yīn yuè ne。
他 正在 听 音乐 呢。(彼は今、音楽を聴いています)

Tā zhèng zài tīng yīn yuè。
他 正在 听 音乐。(彼は今、音楽を聴いています)

Tā tīng yīn yuè ne。
他 听 音乐 呢。(彼は今、音楽を聴いています)

✓ 上の3つの肯定形はまったく同じ意味で、どれも「听音乐」という動作が今進行していることを表します。

会話のときには、「正」を省略することもできます。

Tā zài tīng yīn yuè ne。
他 在 听 音乐 呢。(彼は今、音楽を聴いています)

Tā zài tīng yīn yuè。
他 在 听 音乐。(彼は今、音楽を聴いています)

◉ 現在進行の否定文

　現在進行の否定形は、「正」と「呢」を外して、「在」の前に「没有」を付けます。

✓ 中国語の現在進行の否定形は、質問に答える程度で、ふだんはあまり使いません。

● **現在進行の疑問文**

肯定形の文末に「吗」を付けます。

Tā zhèng zài tīng yīn yuè ne ma?
他 正 在 听 音 乐 呢 吗? （彼は今、音楽を聴いていますか）

Tā zhèng zài tīng yīn yuè ma?
他 正 在 听 音 乐 吗? （彼は今、音楽を聴いていますか）

Tā tīng yīn yuè ne ma?
他 听 音 乐 呢 吗? （彼は今、音楽を聴いていますか）

● **現在進行の反復疑問文**

現在進行の否定形は「正」を外し、「在」の前に「没有」を付けるので、反復疑問文は「在没在」という形になります。

Tā zài méi zài tīng yīn yuè?
他 在 没 在 听 音 乐? （彼は今、音楽を聴いていますか）

UNIT 16

中国マメ知識⑤

教育事情

　日本と同じように6・3・3・4制で、義務教育は中学3年までの9年間です。また、大学の9割以上は国立で授業料は安いですが、競争は日本より激しく、入学できるのは約26パーセント（2012年）です。大学の入学試験（高考）は毎年6月の同じ日に中国全土で一斉に行われ、この1回の試験で合否が決まります。新学期が始まるのは夏休み後の9月からで、冬休みをはさんだ2学期制となっています。

公式36 選択疑問文は「还是」を使ってつくる

● CD-81

　選択疑問文とは、2つの選択肢の中から相手に1つを選択させる疑問文のことです。「还是」（～かそれとも～）が疑問を表すので、「吗」など他の疑問を表す言葉は必要ありません。

選択肢A ＋ 还是 ＋ 選択肢B　　選択肢A それとも 選択肢B？

Nǐ kàn diàn yǐng hái shi kàn diàn shì?
你看电影还是看电视？
（あなたは映画を観るのですか、それともテレビを見るのですか）

「还是」の前後の動詞が同じである場合、後ろの動詞は省略できます。

Nǐ kàn diàn yǐng hái shi diàn shì?
你看电影还是电视？
（あなたは映画を観るのですか、それともテレビを見るのですか）

動詞の「是」を用いる場合、「还是」の後ろに「是」を付けてはいけません。

Jīn tiān shì xīng qī yī hái shi xīng qī èr?
今天是星期一还是星期二？ 〇
（今日は月曜日ですか、それとも火曜日ですか）

今天是星期一还是是星期二？ ×

● 助動詞のある選択疑問文

Nǐ xiǎng hē kā fēi hái shi xiǎng hē hóng chá?
你想喝咖啡还是想喝红茶？
（あなたはコーヒーを飲みたいのですか、それとも紅茶を飲みたいのですか）

　上の文のように、助動詞がある選択疑問文で、「还是」の前後の助動詞と動詞が同じである場合、後ろの助動詞と動詞を省略できます。

Nǐ xiǎng hē kā fēi hái shi hóng chá?
你 想 喝 咖 啡 还 是 红 茶？
（あなたはコーヒーを飲みたいのですか、それとも紅茶を飲みたいのですか）

● 肯定と否定の選択疑問文

「还是」の前後の選択肢には、肯定と否定を同時に使っても大丈夫です。

Nǐ xiǎng qù hái shi bù xiǎng qù?
你 想 去 还 是 不 想 去？
（あなたは行きたいのですか、それとも行きたくないのですか）

●「还是」を2回以上使う

「还是」は1つの文で、1回だけでなく、2回、3回と使うことができます。選択肢が増えるだけです。

wǒ men dǎ bàng qiú hái shi dǎ wǎng qiú hái shi tī zú qiú?
我 们 打 棒 球 还 是 打 网 球 还 是 踢 足 球 ？
（私たちは野球をするのですか、それともテニスをするのですか、それともサッカーをするのですか）

超かんたん　10分間エクササイズ

1 次のピンインを中国語の簡体字に書き直し、日本語に訳してみましょう。

① Tā zhèng zài kàn diàn shì jù ne。
_____

② Tā kàn Hán guó diàn shì jù ne。
_____

③ Tā kàn diàn shì jù ne ma?
_____

④ Nǐ dǎ wǎng qiú hái shi dǎ bàng qiú?
_____

2 (　　)の中から適切な言葉を選んで_____に入れ、文を完成させ、また日本語に訳してみましょう。

① 她在干什么_____（呢　吗）？　　_____

② 你想听日本音乐_____（呢　吗）？　　_____

③ 今天是星期三_____（和　还是）星期四？　_____

④ 你_____（在不在　在没在）看电视剧？　_____

3 次の日本語の文を中国語に訳してみましょう。

① 彼らは今、太極拳をやっています。
_____

② 姉は今、テレビを見ていなくて、本を読んでいます。
_____

③ あなたはジャスミン茶を飲みたいですか、それとも紅茶を飲みたいですか。
_____

④ 彼は今、インターネットに接続していますか
_____

正解・解説

1

① 他(她)正在看电视剧呢。　　彼(彼女)は今、テレビドラマを見ています。
② 他(她)看韩国电视剧呢。　　彼(彼女)は今、韓国のテレビドラマを見ています。
③ 他(她)看电视剧呢吗?　　　彼(彼女)は今、テレビドラマを見ていますか。
④ 你打网球还是打棒球?　　　あなたはテニスをしますか、それとも野球をしますか。

2

① 呢　　　　　彼女は今、何をしていますか。
＊疑問文なので、「什么」と「吗」は同時にあってはいけません。

② 吗　　　　　あなたは日本の音楽を聴きたいですか。

③ 还是　　　　今日は水曜日ですか、それとも木曜日ですか。
＊選択疑問文の動詞が「是」の場合、「还是」の後ろにさらに「是」があってはいけません。

④ 在没在　　　あなたは今、テレビドラマを見ていますか。
＊現在進行形の否定形は「没有」なので、反復疑問文は「在没在」という形です。

3

① 他们正在打太极拳呢。
＊「正在～呢」は動作の進行を表します。

② 我姐姐没有在看电视，在看书呢。

③ 你想喝花茶还是想喝红茶?
＊「还是」は選択疑問を表すので、他の疑問の言葉は必要ありません。

④ 他正在上网呢吗? ／　他正在上网吗? ／　他上网呢吗?

UNIT 17 動詞の「喜欢」／動詞・前置詞の「在」
子供たちはアニメが好きです

動詞「喜欢」(〜するのが好きだ)を使って好みや趣味を話す文を練習します。「在」は動詞と前置詞の2つの用法があるので、区別しながら練習しましょう。

🔴 CD-82

❶ 孩子们喜欢什么？
Hái zi men xǐ huan shén me?
ハイ ヅ メン シー ホゥアン シェン マ
↑「〜が好きだ」

❷ 孩子们喜欢看动漫。
Hái zi men xǐ huan kàn dòng màn.
ハイ ヅ メン シー ホゥアン カン ドゥン マン
↑後ろに動詞を続けられる

❸ 孩子们不喜欢学习。
Hái zi men bù xǐ huan xué xí.
ハイ ヅ メン ブー シー ホゥアン シュエ シー

❹ 孩子们在游乐园里玩儿。
Hái zi men zài yóu lè yuán li wánr.
ハイ ヅ メン ヅァイ イオウ ラー ユアン リ ウワル
↑場所を示す前置詞

❺ 你的爱好是什么？
Nǐ de ài hào shì shén me?
ニー ダ アイ ハオ シー シェン マ

✓ 学習のポイント

- 動詞「喜欢」(〜が好きだ)
- 「在」：動詞(〜にある・いる)、前置詞(〜で)

孩 子 们 喜 欢 看 动 漫 。

❶ 子供たちは何が好きですか。
❷ 子供たちはアニメが好きです。
❸ 子供たちは勉強が好きではありません。
❹ 子供たちは遊園地の中で遊んでいます。
❺ あなたの趣味は何ですか。

本文単語　● CD-83

- 孩子 hái zi　子供
- 喜欢 xǐ huan　好きだ、好む
- 学习 xué xí　勉強する、学習する
- 里 lǐ　〜の中
- 爱好 ài hào　趣味、好み
- 们 men　複数を表す
- 动漫 dòng màn　アニメ
- 游乐园 yóu lè yuán　遊園地、テーマパーク
- 玩儿 wánr　遊ぶ

補充単語

- 电器 diàn qì　電気製品
- 马拉松 mǎ lā sōng　マラソン
- 钱包 qián bāo　財布
- 上班 shàng bān　仕事に行く、通勤する
- 咖啡厅 kā fēi tīng　喫茶店
- 找 zhǎo　探す、求める
- 蔬菜 shū cài　野菜
- 公司 gōng sī　会社、勤務先
- 皮包 pí bāo　バッグ、カバン
- 买东西 mǎi dōng xi　買い物をする
- 聊天儿 liáo tiānr　おしゃべりをする
- 工作 gōng zuò　仕事

UNIT 17

中国語の文法公式を覚えよう

公式37 「喜欢」（〜が好きだ）には名詞と動詞が続けられる

● CD-84

「喜欢」は動詞です。使い方は次の2つのパターンがあります。「喜欢」の後ろに、人や物を表す名詞を置けば、その人や物が好きだという意味になります。また、「動詞 + 名詞」を続ければ、「〜することが好きだ」という意味を表せます。

主語 + 喜欢 + 名詞　〜が好きだ。

Nǐ xǐ huan tā ma?
你 **喜欢** 他 吗？（あなたは彼のことが好きですか）

Xǐ huan, wǒ xǐ huan tā.
喜欢，我 **喜欢** 他。（はい、私は彼のことが好きです）

Bù xǐ huan, wǒ bù xǐ huan tā.
不喜欢，我 **不喜欢** 他。
（いいえ、私は彼のことが好きではありません）
✓ 否定形は「喜欢」の前に「不」を付けます。

Zhōng guó rén xǐ huan bù xǐ huan Rì běn de diàn qì?
中 国 人 **喜欢 不 喜欢** 日 本 的 电 器？
（中国人は日本の電気製品が好きですか）
✓ 「喜欢」の否定形は「不喜欢」なので、反復疑問文は「喜欢不喜欢」もしくは「喜不喜欢」という形になります。

主語 + 喜欢 + 動詞 + 名詞　〜するのが好きだ。

Tā xǐ huan chī shū cài.
他 **喜欢** 吃 蔬 菜。（彼は野菜（を食べるの）が好きです）

Tā xǐ huan dǎ bàng qiú.
他 **喜欢** 打 棒 球。（彼は野球（をプレーするの）が好きです）

✓ 中国語と日本語訳と比較すればわかりますが、日本語では「〜が好きだ」という場合に、「見る」「食べる」「プレーする」という動詞をあまり言わないのに対して、中国語では動詞を言うのが一般的です。

◉ 趣味をたずねる表現

相手の趣味をたずねる表現としては、次の2つがよく使われます。

Nǐ xǐ huan shén me?
你 喜欢 什 么?（あなたは何が好きですか）

Wǒ xǐ huan kàn mǎ lā sōng.
我 喜欢 看 马 拉 松。（私はマラソンを見るのが好きです）

Nǐ de ài hào shì shén me?
你 的 爱 好 是 什 么?（あなたの趣味は何ですか）

Wǒ de ài hào shì kàn mǎ lā sōng.
我 的 爱 好 是 看 马 拉 松。
（私の趣味はマラソンを見ることです）

公式 38 「在」は動詞と前置詞として使う

● CD-85

「在」は動詞と前置詞という2つの使い方があります。

❶ 動詞の「在」の使い方

人や物が存在する場所を表します。中国語には「人がいる」「物がある」という使い分けがないので、人にも物にも「在」を使います。「在」の後ろには、場所を表す名詞がきます。「在＋場所」となります。

　　主語 ＋ 在 ＋ 場所　　〜が〜にいる。／〜が〜にある。

Tā zài gōng sī.
他 在 公 司。（彼は会社にいます）

Tā bú zài gōng sī.
他 **不在** 公司。（彼は会社にいません）

Tā zài gōng sī ma?
他 **在** 公司吗？（彼は会社にいますか）

Qián bāo zài pí bāo li.
钱包 **在** 皮包里。（財布はバッグの中にあります）

前置詞の語順

　中国語の前置詞は後ろにくる名詞とセットになっています。前置詞によって後ろの名詞の種類が決まります。「前置詞 ＋ 名詞」という形で覚えておくと便利でしょう。また、「前置詞 ＋ 名詞」のセットは必ず動詞の前に置きます。名詞・動詞の前に置くので、前置詞と呼ばれます。「主語 ＋ 前置詞 ＋ 名詞 ＋ 動詞 ＋ 目的語」という語順です。

❷ 前置詞の「在」の使い方

　動作が行われる場所を表します。「在 ＋ 場所」は必ず動詞の前に置きます。

　　| 主語 ＋ 在 ＋ 場所 ＋ 動詞 ＋ 目的語 |　～が～で～をする。

Tā zài gōng sī shàng bān.
他 **在** 公司上班。（彼は会社に勤めています）

Tā zài chāo shì mǎi dōng xi.
她 **在** 超市买东西。（彼女はスーパーで買い物をしています）

Wǒ men zài kā fēi tīng li liáo tiānr.
我们 **在** 咖啡厅里聊天儿。
（私たちは喫茶店でおしゃべりをしています）

● 動詞と前置詞の区別

　「在」は動詞と前置詞の2つの使い方がありますが、動詞にしても、前置詞にしても、後ろには必ず場所の名詞がきます。両者を区別するポイントは、「在」の後ろが場所で終わっていれば動詞、「在」に続く場所の後ろに動詞があれば前置詞です。日本語から中国語に訳す場合には、「〜にいる、〜にある」は動詞の「在」、「〜で〜をする」は前置詞の「在」を使うことになります。

Tā zài gōng sī。
他 在 公司。（彼は会社にいます）

Tā zài gōng sī shàng bān。
他 在 公司 上 班。（彼は会社に勤めています）

● 前置詞の文に助動詞を入れる

主語 ＋ 助動詞 ＋ 在 ＋ 場所 ＋ 動詞 ＋ 目的語　〜は〜で〜をする。

Tā dǎ suan zài Rì běn zhǎo gōng zuò。
他 打 算 在 日 本 找 工 作。
（彼は日本で仕事を探すつもりです）

● 前置詞の文に「喜欢」を入れる

主語 ＋ 喜欢 ＋ 在 ＋ 場所 ＋ 動詞 ＋ 目的語　〜は〜で〜をするのが好きだ。

Hái zi men xǐ huan zài yóu lè yuán li wánr。
孩 子 们 喜 欢 在 游 乐 园 里 玩 儿。
（子供たちは遊園地で遊ぶのが好きです）

超かんたん　10分間エクササイズ

1 次のピンインを中国語の簡体字に書き直し、日本語に訳してみましょう。

① Hái zi men xǐ huan shén me?

② Wǒ xǐ huan kàn dòng màn。

③ Hái zi men xǐ huan xué xí ma?

④ Tā de ài hào shì shén me?

2 次の言葉を正しい語順に並べ換え、また日本語に訳してみましょう。

① 在　孩子们　游乐园　玩儿　里 ＿＿＿＿＿＿＿＿＿＿＿＿。

② 喜欢　学习　孩子们　喜欢　不 ＿＿＿＿＿＿＿＿＿＿＿＿？

③ 花茶　喜欢　喝　乌龙茶　喜欢　你　还是　喝
＿＿＿＿＿＿＿＿＿＿＿＿？

④ 咖啡厅　喝　我　在　喜欢　咖啡 ＿＿＿＿＿＿＿＿＿＿＿＿。

3 次の日本語の文を中国語に訳してみましょう。

① あなたの趣味は何ですか。（爱好を使う）

② あなたは何が好きですか。（喜欢を使う）

③ 彼は上海で仕事を探したいです。

④ あなたはサッカーが好きですか。

正解・解説

1

① 孩子们喜欢什么? 　　　　子供たちは何が好きですか。

② 我喜欢看动漫。 　　　　　私はアニメを見るのが好きです。

③ 孩子们喜欢学习吗? 　　　子供たちは勉強が好きですか。

④ 他(她)的爱好是什么? 　　彼(彼女)の趣味は何ですか。

2

① 孩子们在游乐园里玩儿。　　子供たちは遊園地で遊びます。

＊前置詞の「在」の後は必ず場所を表す名詞で、「在 + 場所」のセットは必ず動詞の前です。

② 孩子们喜欢不喜欢学习? 　　子供たちは勉強が好きですか。

＊「喜欢」の否定形は「不喜欢」なので、反復疑問文は「喜欢不喜欢」という形になります。

③ 你喜欢喝花茶还是喜欢喝乌龙茶？

あなたはジャスミン茶を飲むのが好きですか、それともウーロン茶を飲むのが好きですか。

＊「花茶」と「乌龙茶」の順番はどちらが先でもかまいません。

④ 我喜欢在咖啡厅喝咖啡。　　私は喫茶店でコーヒーを飲むのが好きです。

3

① 你的爱好是什么?

② 你喜欢什么?

＊相手の趣味を聞くには、①と②のどちらの表現も使えます。

③ 他想在上海找工作。

＊前置詞の文に助動詞を入れる場合には、助動詞は前置詞の前に置きます。

④ 你喜欢踢足球吗?

＊「喜欢」の後ろは人や物などの名詞を除いて、「喜欢 + 動詞 + 目的語」という形が一般的です。

UNIT 18 動作の方向を表す「去」「来」／前置詞の「跟」
私は温泉に行きたいです

「去 + 動詞 + 目的語」と「来 + 動詞 + 目的語」は、動作の方向を表します。また、前置詞「跟」を使った「跟 + 人 + 一起 + 動詞 + 目的語」の表現も練習しましょう。

● CD-86

❶ 我 想 去 洗 温 泉。
Wǒ xiǎng qù xǐ wēn quán.
ウオ シィアン チュイ シー ウエン チュアン
　　　　↑遠ざかるという「方向」を表す

❷ 我 打 算 跟 同 学 一 起 去 洗 温 泉。
Wǒ dǎ suan gēn tóng xué yì qǐ qù xǐ wēn quán.
ウオ ダー スゥアン ゲン トゥン シュエ イー チー チュイ シー ウエン チュアン
　　　　　↑「〜と一緒に」を表す前置詞　　　　↑「跟」と呼応して使う

❸ 你 跟 谁 一 起 去 洗 温 泉？
Nǐ gēn shéi yì qǐ qù xǐ wēn quán?
ニー ゲン シェイ イー チー チュイ シー ウエン チュアン

❹ 我 们 一 起 去 旅 游 吧。
Wǒ men yì qǐ qù lǚ yóu ba.
ウオ メン イー チー チュイ リゥ イオウ バ
　　　　　　　　　　　　↑提案・勧誘を表す

❺ 他 们 今 天 来 商 量 工 作。
Tā men jīn tiān lái shāng liang gōng zuò.
ター メン ヂン ティエン ライ シァン リィアン ゴゥン ヅゥオ
　　　　　　　　　↑近づくという「方向」を表す

✓ 学習のポイント

- 「去 + 動詞 + 目的語」(〜しに行く)、「来 + 動詞 + 目的語」(〜しに来る)
- 「跟 + 人 + 一起 + 動詞 + 目的語」(〜と一緒に〜をする)
- 「吧」:勧誘・提案(〜しましょう)、疑問・推測(〜でしょう?)

我想去洗温泉。

❶ 私は温泉に行きたいです。
❷ 私は同級生と一緒に温泉に行くつもりです。
❸ あなたは誰と一緒に温泉に行きますか。
❹ 私たちは一緒に旅行に行きましょう。
❺ 彼らは今日、仕事の打ち合わせに来ます。

本文単語 ◉ CD-87

- 去 qù 行く
- 温泉 wēn quán 温泉
- 跟〜一起 gēn 〜yì qǐ 〜と一緒に
- 一起 yì qǐ 一緒に
- 吧 ba 疑問・推測や勧誘・提案を表す
- 商量 shāng liang 相談する、打ち合わせをする
- 洗 xǐ 洗う、洗浄する
- 洗温泉 xǐ wēn quán 温泉に入る
- 同学 tóng xué 同級生、クラスメート
- 旅游 lǚ yóu 旅行する、観光する
- 来 lái 来る

補充単語

- 听 tīng 聴く
- 参观 cān guān 見学する
- 几个 jǐ ge いくつか
- 足球 zú qiú サッカー
- 同事 tóng shì 職場の同僚
- 酒 jiǔ お酒
- 车站 chē zhàn 駅
- 唱卡拉OK chàng kǎ lā OK カラオケに行く
- 音乐会 yīn yuè huì コンサート
- 事情 shì qing 事柄、事情
- 朋友 péng you 友達、友人
- 比赛 bǐ sài (スポーツの)試合
- 居酒屋 jū jiǔ wū 居酒屋
- 大家 dà jiā みんな、みなさん
- 等 děng 待つ

UNIT 18

中国語の文法公式を覚えよう

公式 39 「去」と「来」は動作に方向を与える

CD-88

　動作が自分のいる場所を離れて遠い方向に行くのは「去」を使って表します。その逆に、遠い場所から自分のいる場所に向かって近づいて来るのは「来」を使って表します。

去 + 動詞 + 目的語　～をしに行く

Nǐ qù tīng yīn yuè huì ma?
你去听音乐会吗？
（あなたはコンサートを聴きに行きますか）

Qù, wǒ qù tīng yīn yuè huì。
去，我去听音乐会。
（はい、私はコンサートを聴きに行きます）

Bú qù, wǒ bú qù tīng yīn yuè huì。
不去，我不去听音乐会。
（いいえ、私はコンサートを聴きに行きません）

Nǐ qù bú qù tīng yīn yuè huì?
你去不去听音乐会？
（あなたはコンサートを聴きに行きますか）

Nǐ qù gàn shén me?
你去干什么？（あなたは何をしに行きますか）

来 + 動詞 + 目的語　～をしに来る

Tā men míng tiān lái cān guān ma?
他们明天来参观吗？
（彼らは明日、見学をしに来ますか）

Lái, tā men míng tiān lái cān guān。
来，他们明天来参观。
（はい、彼らは明日、見学をしに来ます）

Bù lái, tā men míng tiān bù lái cān guān。
不来，他们明天**不来**参观。
(いいえ、彼らは明日、見学をしに来ません)

Tā men míng tiān lái bù lái cān guan?
他们明天**来不来**参观？
(彼らは明日、見学をしに来ますか)

Tā men míng tiān lái gàn shén me?
他们明天**来**干什么？(彼らは明日、何をしに来ますか)

2人の会話の場合、「去」と「来」は「私」と「あなた」で対照的に使います。

Nǐ lái gàn shén me?
你**来**干什么？(あなたは何をしに来ますか)

Wǒ qù shāng liang shì qing。
我**去**商量事情。(私は相談しに行きます)

公式 40　前置詞の「跟」は「〜と一緒に」　●CD-89

「跟」は前置詞で、後ろに続く名詞は人になります。つまり「跟＋人」という形で「その人と一緒に（〜をする）」という意味です。語順はこれまで習った前置詞の「在」と同じで、動詞の前に置きます。また、「跟」は「一起」とよく一緒に使います。

　主語　＋　跟　＋　人　＋　一起　＋　動詞　＋　目的語

〜は人と一緒に〜をする。

Tā gēn jǐ ge péng you yì qǐ qù kàn zú qiú bǐ sài。
他**跟**几个朋友**一起**去看足球比赛。
(彼は何人かの友達と一緒にサッカーの試合を見に行きます)

Shéi gēn nǐ yì qǐ qù?
谁 跟 你 一 起 去？（誰があなたと一緒に行きますか）

1つの文の中に前置詞を2つ以上同時に使うことも可能です。その場合、前置詞の順番は重要度の高いほうが先になります。

Wǒ gēn gōng sī de tóng shì yì qǐ zài jū jiǔ wū hē jiǔ.
我 跟 公司 的 同事 一 起 在 居酒屋 喝酒。
（私は会社の同僚と一緒に居酒屋でお酒を飲んでいます）

Tā gēn dà jiā yì qǐ zài chē zhàn děng wǒ.
他 跟 大家 一 起 在 车站 等 我。
（彼はみんなと一緒に駅で私を待っています）

公式 41 「吧」は勧誘・提案と疑問・推測を表す

● CD-90

「吧」は文末に付けて、「勧誘・提案・軽い命令」と「疑問・推測」という2つの意味を表します。

❶ 勧誘・提案と軽い命令：「〜をしましょう、〜をしてください」

Wǒ men yì qǐ chàng kǎ lā OK ba.
我们 一 起 唱 卡拉OK 吧。
（（私たちは）一緒にカラオケに行きましょう）

Nǐ qù ba.
你 去 吧。（あなたが行ってください）

（答え方）

Hǎo ba.
肯定形： **好 吧。**（いいですよ）

Bù hǎo.
否定形： **不 好。**（ダメです）

❷ 疑問・推測：「～でしょう？」

Nǐ xué guo Hàn yǔ ba?
你学过汉语吧？
（あなたは中国語を習ったことがあるでしょう？）

（答え方）

肯定形：
Xué guo。
学过。（習ったことがあります）

否定形：
Méi xué guo。
没学过。（習ったことがありません）

Zhè shì tā de ba?
这是他的吧？（これは彼のでしょう？）

（答え方）

肯定形：
Shì de。
是的。（そうです）

否定形：
Bú shì。
不是。（違います）

✓「吧」はその使い方にかかわらず、常に文末に付けます。勧誘・提案の意味なのか、疑問・推測の意味なのかは、文脈を見て判断するしかありません。

「吗」と「吧」の違い

「吗」はまったく知らない状態での疑問を表します。

Nǐ chī fàn le ma?
你吃饭了吗？（あなたはご飯を食べましたか）

「吧」は一定の根拠があった上での疑問を表します。

Nǐ chī fàn le ba?
你吃饭了吧？（あなたはご飯を食べたのでしょう？）

超かんたん　10分間エクササイズ

1 次のピンインを中国語の簡体字に書き直し、日本語に訳してみましょう。

① Wǒ xiǎng qù xǐ wēn quán。
_____

② Tā gēn tóng shì yì qǐ qù xǐ wēn quán。
_____

③ Wǒ men yì qǐ qù ba。
_____

④ Tā men lái shāng liang gōng zuò。
_____

2 次の日本語の文の意味に合うように、中国語の単語を並べてみましょう。

① あなたは誰と一緒に温泉に行きますか。

　　温泉　你　去　一起　跟　洗　谁　_____？

② 私たちは居酒屋で一緒に食事をします。

　　在　我们　居酒屋　吃饭　一起　_____。

③ 私は会社の同僚と仕事の打ち合わせに行きます。

　　公司　我　同事　的　去　工作　商量　跟

　　_____。

3 次の日本語の文を中国語に訳してみましょう。

① あなたはご飯を食べたのでしょう？
_____

② みんなが駅で私を待っています。
_____

③ 私たち、一緒に野球の試合を見に行きましょうか。
_____

④ 今日はあなたが行ってください。
_____

正解・解説

1

① 我想去洗温泉。　　　　　私は温泉に行きたいです。
② 他(她)跟同事一起去洗温泉。
　　彼(彼女)は同僚と一緒に温泉に行きます。
③ 我们一起去吧。　　　　　私たちは一緒に行きましょう。
④ 他们(她们)来商量工作。
　　彼ら(彼女たち)は仕事の打ち合わせをしに来ます。

2

① 你跟谁一起去洗温泉?
② 我们一起在居酒屋吃饭。
　＊「一起」は副詞で、動詞の前に置きます。前置詞がある場合には、前置詞の前に置きます。
③ 我跟公司的同事去商量工作。

3

① 你吃饭了吧?
　＊「吧」はある程度の根拠があった上での疑問を表し、「〜でしょう?」という意味です。
② 大家在车站等我。
　＊「在 + 場所」は、必ず動詞の前に置きます。
③ 我们一起去看棒球比赛吧。
　＊「吧」は提案・勧誘を表します。「去 + 動詞」は動作の方向を表し、「〜をしに行く」という意味になります。
④ 今天你去吧。
　＊「吧」は軽い命令を表します。

UNIT 19 前置詞「从」「到」／同時進行・動作の順序
私は朝8時に自宅を出ます

UNIT 18 に続いて、新しい前置詞「从」「到」を取り上げます。また、2つの動作が同時進行する表現と、2つの動作の行われる順序を表す表現を学習します。

🔴 CD-91

❶ 我 早 上 八 点 从 家 出 来。
Wǒ zǎo shang bā diǎn cóng jiā chū lai.
ウオ ヴァオ シァン バー ディエン ツォン ヂィア チュー ライ
　　　　　　　　　　　　　↑「〜から」を表す前置詞

❷ 报 名 到 明 天 六 点 结 束。
Bào míng dào míng tiān liù diǎn jié shù.
バオ ミィン ダオ ミィンティエン リウ ディエン ヂィエ シュー
　　　　↑「〜まで」を表す前置詞

❸ 从 我 家 到 超 市 很 近。
Cóng wǒ jiā dào chāo shì hěn jìn.
ツォン ウオ ヂィア ダオ チャオ シー ヘン ヂン

❹ 那 个 孩 子 一 边 吃 饭 一 边 看 电 视。
Nà ge hái zi yì biān chī fàn yì biān kàn diàn shì.
ナー ガ ハイ ヅ イー ビィエン チー ファン イー ビィエン カン ディエン シー
　　　　　　　　↑2つの動作を同時進行することを表す↑

❺ 我 们 先 在 车 站 集 合, 然 后 一 起 去 美 术 馆。
Wǒ men xiān zài chē zhàn jí hé, rán hòu yì qǐ qù měi shù guǎn.
ウオ メン シィエン ヴァイ チャー ヂャン ヂー ハー ラン ホウ イー チー チュイ メイ シュー グゥアン
　　　　　↑―――動作の「前後関係」を表す―――↑

✓ 学習のポイント

- 前置詞：「从」(〜から)、「到」(〜まで)
- 同時進行：「一边 〜一边」(〜をしながら〜をする)
- 動作の順序：「先〜、然后〜」(まず〜をして、それから〜をする)

我早上八点从家出来。

❶ 私は朝8時に自宅を出ます。
❷ 申し込みは明日6時に締め切ります。
❸ 家からスーパーまでは近いです。
❹ あの子はご飯を食べながらテレビを見ます。
❺ 私たちはまず駅に集合して、それから一緒に美術館に行きます。

本文単語 🔴 CD-92

- 早上 zǎo shang　朝、早朝
- 出来 chū lai　出かける、出てくる
- 到 dào　〜まで
- 近 jìn　近い
- 一边 〜 一边 yì biān 〜 yì biān　〜をしながら〜をする
- 先 〜 然后 xiān 〜 rán hòu　まず〜をして、それから〜をする
- 集合 jí hé　集合する、集まる
- 从 cóng　〜から
- 报名 bào míng　申し込み、申し込む
- 结束 jié shù　終わる、終了する
- 美术馆 měi shù guǎn　美術館

補充単語

- 商店 shāng diàn　商店、店
- 电影院 diàn yǐng yuàn　映画館
- 点心 diǎn xin　お菓子、デザート
- 开门 kāi mén　開店する、オープンする
- 远 yuǎn　遠い
- 旅游团 lǚ yóu tuán　ツアー、旅行団

UNIT 19

中国語の文法公式を覚えよう

公式42 前置詞の「从」(〜から)と「到」(〜まで)

🔴 CD-93

「从」も「到」も前置詞です。「从」は時間・場所の始点を表し「〜から」という意味で、「到」は時間・場所の終点を表し「〜まで」の意味です。「〜から〜まで」と2つをよく同時に使います。

◉「从 + 時間・場所」：時間や場所の始点を表す

> 主語 + 从 + 時間・場所 + 動詞・形容詞 〜 〜は〜から〜する

Shāng diàn cóng shí diǎn kāi mén.
商店从十点开门。（お店は10時から開店します）

◉「到 + 時間・場所」：時間や場所の終点を表す

> 主語 + 到 + 時間・場所 + 動詞・形容詞 〜 〜は〜まで〜する

Dào diàn yǐng yuàn yuǎn ma?
到电影院远吗？（映画館まで遠いですか）

◉「从〜到〜」と一緒に使う：「〜から〜まで」

Wǒ cóng xīng qī yī dào xīng qī wǔ shàng bān.
我从星期一到星期五上班。
（私は月曜日から金曜日まで仕事をします）

公式43 「一边〜一边〜」は同時進行を表す

🔴 CD-94

「一边〜一边〜」は「〜をしながら〜をする」という意味で、2つの動作が同時進行で行われることを表します。

> 主語 + 一边 + 動詞1 + 目的語1 + 一边 + 動詞2 + 目的語2　～をしながら～をする

Tā yì biān tīng yīn yuè yì biān chī diǎn xin.
她一边听音乐一边吃点心。

(彼女は音楽を聴きながらお菓子を食べています)

✓ 会話の場合には、一边の「一」を省略することがよくあります。「边～边～」という形になりますが、意味は同じです。

Tā biān tīng yīn yuè biān chī diǎn xin.
她边听音乐边吃点心。

(彼女は音楽を聴きながらお菓子を食べています)

✓ 日本語では「～しながら～する」と、2つの動作の間に「ながら」という表現を1つ挟む形ですが、中国語は2つの動作それぞれの前に「一边」が必要です。

🔴 CD-95

公式 44　「先～，然后～」は動作の順序を表す

「先～，然后～」は「まず～をして、それから～をする」という意味で、2つの動作の順序を表します。

> 先 + 動詞1 + 目的語1，然后 + 動詞2 + 目的語2

まず～して、それから～する

Lǚ yóu tuán xiān qù Fù shì shān, rán hòu qù Xiāng gēn.
旅游团先去富士山，然后去箱根。

(ツアーはまず富士山に行って、それから箱根に向かいます)

Wǒ gēn tóng shì xiān shāng liang shì qing, rán hòu yì qǐ qù chī fàn.
我跟同事先商量事情，然后一起去吃饭。

(私はまず同僚と打ち合わせをしてから、一緒に食事に行きます)

✓ 否定形と疑問形はあまり使いません。

超かんたん　10分間エクササイズ

1 次のピンインを中国語の簡体字に書き直し、日本語に訳してみましょう。

① Wǒ jiǔ diǎn cóng jiā chū lai。
_____

② Cóng nǐ jiā dào chāo shì jìn ma?
_____

③ Wǒ yì biān chī fàn yì biān kàn diàn shì。
_____

④ Wǒ men xiān jí hé, rán hòu qù měi shù guǎn。
_____

2 次の_____に適切な前置詞を入れ、また日本語に訳してみましょう。

① 我_____超市买东西。　　_____

② 谁_____你一起去?　　_____

③ 音乐会_____下午三点开始。　　_____

④ _____下星期天我都没有时间。　　_____

3 次の日本語の文を中国語に訳してみましょう。

① あなたはどこから来ていますか。
_____

② サッカーの試合は夜の9時までです。
_____

③ 私たちは先に食事をして、それから美術館に行きましょう。
_____

④ 私はコーヒーを飲みながら音楽を聴くのが好きです。
_____

正解・解説

1

① 我九点从家出来。　　　　私は9時に自宅を出ます。

② 从你家到超市近吗？　　　あなたの家からスーパーまでは近いですか。

③ 我一边吃饭一边看电视。　私はご飯を食べながらテレビを見ます。

④ 我们先集合，然后去美术馆。
　　私たちはまず集合して、それから美術館に行きます。

2

① 在　　　私はスーパーで買い物をします。

② 跟　　　誰があなたと一緒に行きますか。

③ 从　　　コンサートは午後3時から始まります。

④ 到　　　来週日曜日まで私はずっと時間がありません。

3

① 你从哪儿来？

＊「从」は時間や場所の始点を表し、「从 + 時間・場所」は必ず動詞の前に置きます。

② 足球比赛到晚上九点结束。

＊日本語の「〜まで」という表現は中国語では「到」を使います。

③ 我们先吃饭，然后去美术馆吧。

＊「先〜、然后〜」は2つの動作の順序を表します。「吧」は文末に置き、勧誘・提案などの意味を表します。

④ 我喜欢一边喝咖啡一边听音乐。

＊「喜欢」は「一边」の前に置きます。

UNIT 20 自己紹介をしてみよう
みなさん、こんにちは

最後に、これまで学習した文法事項を使って自己紹介の練習をしてみましょう。言葉を入れ替えれば自分の自己紹介文として使えます。また、最後に主述述語文(しゅじゅつじゅつごぶん)を学習します。

CD-96

◉ 自我介绍

Dà jiā hǎo!
大家好！

Wǒ xìng Tián Zhōng, jiào Tián Zhōng huā zǐ。
我姓田中，叫田中花子。

Tián dì de tián, Zhōng guó de zhōng, xiān huā de huā,
田地的田，中国的中，鲜花的花，

hái zi de zǐ。
孩子的子。

Wǒ shì Rì běn rén, jīn nián èr shi wǔ suì le。
我是日本人，今年二十五岁了。

Wǒ lǎo jiā zài Rì běn Dōng jīng。
我老家在日本东京。

Wǒ jiā yǒu wǔ kǒu rén, yǒu bà ba, mā ma,
我家有五口人，有爸爸，妈妈，

yí ge gē ge, yí ge mèi mei hé wǒ。
一个哥哥，一个妹妹和我。

Wǒ bà ba zài yín háng gōng zuò,
我爸爸在银行工作，

✓ 学習のポイント

- 自己紹介の基本パターンを練習する
- 主述述語文:「主語 + 述語(主語 + 述語)」

---

wǒ mā ma shì jiā tíng zhǔ fù,
我妈妈是家庭主妇,

wǒ gē ge shì gōng wù yuán, mèi mei shì dà xué shēng。
我哥哥是公务员,妹妹是大学生。

Wǒ zài dà xué xué guo yì diǎnr Hàn yǔ,
我在大学学过一点儿汉语,

xiàn zài zài yì jiā mào yì gōng sī gōng zuò,
现在在一家贸易公司工作,

fù zé gēn Zhōng guó de yè wù。 Wǒ zǎo shang jiǔ diǎn
负责跟中国的业务。我早上九点

shàng bān, wǎn shang liù diǎn xià bān。 Wǒ gōng zuò hěn máng,
上班,晚上六点下班。我工作很忙,

jīng cháng děi jiā bān。
经常得加班。

自己紹介

みなさん、こんにちは。
私は田中です。田中花子と言います。
田は田んぼの田、中国の中、お花の花、子供の子です。
私は日本人です。今年25歳になりました。故郷は日本の東京です。
私は5人家族で、父、母、一人の兄と一人の妹と私です。父は銀行で働いています。母は専業主婦、兄は公務員で、妹は大学生です。
私は大学で少し中国語を習ったことがあります。いま貿易会社に勤めていて、中国との業務を担当しています。仕事は朝9時から夜6時までです。仕事は忙しくて、いつも残業をしなければなりません。

Wǒ de ài hào shì tīng gǔ diǎn yīn yuè。
我的爱好是听古典音乐。

Wǒ yě xǐ huan chàng kǎ lā OK。
我也喜欢唱卡拉OK。

Xià bān yǐ hòu, jīng cháng gēn gōng sī de tóng shì men yì qǐ
下班以后，经常跟公司的同事们一起

qù chàng kǎ lā OK。
去唱卡拉OK。

Tóng shì men chàng Rì běn gē qǔ, wǒ chàng Zhōng guó gē qǔ。
同事们唱日本歌曲，我唱中国歌曲。

Wǒ de Hàn yǔ bú tài hǎo, qǐng dà jiā yuán liàng。
我的汉语不太好，请大家原谅。

Xiè xie dà jiā。
谢谢大家。

　私の趣味はクラシック音楽を聴くことで、カラオケも好きです。
　仕事が終わった後、いつも会社の同僚たちと一緒にカラオケに行きます。
　同僚たちは日本の歌を歌い、私は中国の歌を歌います。
　私の中国語はあまり上手ではありませんので、お許しください。ありがとうございました。

我唱中国歌曲。

本文単語　CD-97

- 田地 tián dì　水田、田畑
- 老家 lǎo jiā　故郷
- 公务员 gōng wù yuán　公務員
- 贸易 mào yì　貿易
- 工作 gōng zuò　仕事をする、仕事
- 经常 jīng cháng　いつも、しょっちゅう
- 原谅 yuán liàng　許す
- 鲜花 xiān huā　お花、生け花
- 家庭主妇 jiā tíng zhǔ fù　専業主婦
- 一点儿 yì diǎnr　少し、ちょっと
- 负责 fù zé　担当する
- 业务 yè wù　業務、仕事
- 以后 yǐ hòu　〜の後、以降

補充単語

- 个子 gè zi　身長
- 地铁 dì tiě　地下鉄
- 语法 yǔ fǎ　文法
- 发音 fā yīn　発音
- 高 gāo　高い
- 发达 fā dá　発達している
- 难 nán　難しい
- 身体 shēn tǐ　体、身体

UNIT 20

中国語の文法公式を覚えよう

公式 45 主述述語文は
「主語 + 述語」が述語になる   ● CD-98

　これまでに習った名詞述語文は名詞が述語になり、形容詞述語文は形容詞が述語になるものでした。ここで紹介するのは、「主語 + 述語」という要素が述語となる、いわゆる主述述語文です。「主語 + 述語」の部分の述語は形容詞が多いです。肯定形、否定形、疑問形ともに形容詞述語文とまったく同じです。

Huā zǐ　　　　gōng zuò　　　hěn máng。
花子　　　　　工作　　　　　很忙。
主語（大）　　主語（小）　　述語
主語　　　　　　　　述語

（花子さんは仕事が忙しいです）

Tā　　　　　 gè zi　　　　　hěn gāo。
他　　　　　 个子　　　　　很高。
主語（大）　　主語（小）　　述語
主語　　　　　　　　述語

（彼は身長が高いです）

180

● **主述述語文の特徴**

「最初は大きい主語、次は小さい主語、小さい主語は大きい主語の一部になっている」――これが主述述語文の特徴であり、主述述語文にできるかどうかを判断する基準の1つにもなります。

「仕事」は「花子さん」の生活の一部、また「身長」は「彼」の体の一部のように、大小の関係が成立しています。

「花子的工作很忙」「他的个子很高」も正しい言い方ですが、これらは主述述語文ではなく、形容詞述語文です。以下の例文をよく見て主述述語文の特徴を理解しましょう。

Dōng jīng dì tiě hěn fā dá.
东京地铁很发达。
（東京は地下鉄が発達しています）　東京＞地下鉄

Zhè li fēng jǐng hěn měi.
这里风景很美。
（ここは景色が素晴らしいです）　ここ＞景色

Hàn yǔ yǔ fǎ bù nán.
汉语语法不难。
（中国語は文法が難しくありません）　中国語＞文法

Hàn yǔ fā yīn nán ma?
汉语发音难吗？
（中国語は発音が難しいですか）　中国語＞発音

Nǐ shēn tǐ hǎo ma?
你身体好吗？
（お元気ですか）　あなた＞身体

超かんたん　10分間エクササイズ

本文の内容に基づいて、次の質問に答えてみましょう。

① 花子今年多大了？ ＿＿＿＿＿＿＿＿＿＿＿＿＿＿＿
② 花子的家有几口人？ ＿＿＿＿＿＿＿＿＿＿＿＿＿＿＿
③ 花子的家都有什么人？

＿＿＿＿＿＿＿＿＿＿＿＿＿＿＿＿＿＿＿＿＿＿＿＿＿＿＿＿＿＿

④ 花子的老家在哪儿？ ＿＿＿＿＿＿＿＿＿＿＿＿＿＿＿
⑤ 花子的爸爸在哪儿工作？ ＿＿＿＿＿＿＿＿＿＿＿＿＿＿＿
⑥ 花子的妈妈也工作吗？ ＿＿＿＿＿＿＿＿＿＿＿＿＿＿＿
⑦ 花子的哥哥做什么工作？ ＿＿＿＿＿＿＿＿＿＿＿＿＿＿＿
⑧ 花子的妹妹也是公务员吗？ ＿＿＿＿＿＿＿＿＿＿＿＿＿＿＿
⑨ 花子学过汉语吗？ ＿＿＿＿＿＿＿＿＿＿＿＿＿＿＿
⑩ 花子工作忙不忙？ ＿＿＿＿＿＿＿＿＿＿＿＿＿＿＿
⑪ 花子在公司负责什么工作？ ＿＿＿＿＿＿＿＿＿＿＿＿＿＿＿
⑫ 花子的爱好是什么？ ＿＿＿＿＿＿＿＿＿＿＿＿＿＿＿
⑬ 花子喜欢唱卡拉OK吗？ ＿＿＿＿＿＿＿＿＿＿＿＿＿＿＿
⑭ 花子在卡拉OK唱什么歌曲？ ＿＿＿＿＿＿＿＿＿＿＿＿＿＿＿
⑮ 花子的同事们唱中国歌曲吗？

＿＿＿＿＿＿＿＿＿＿＿＿＿＿＿＿＿＿＿＿＿＿＿＿＿＿＿＿＿＿

正解・解説

① 花子今年二十五岁了？

　＊「了」は変化を表します。

② 花子的家有五口人。

　＊「口」は一家全員の人数を数えるときに使う量詞です。その場合、主語は必ず「○○家」でないといけません。

③ 花子的家有花子的爸爸，妈妈，一个哥哥，一个妹妹和花子。

＊「个」は最もよく使われる量詞で、人にも物にも使います。兄弟を言う場合、主語は一人の人で、「○○家」ではありません。

④　花子的老家在日本东京。

＊「在」は人・物が存在する場所を表します。「在」の後ろは必ず場所で、「在 + 場所」という形になります。

⑤　花子的爸爸在银行工作。

＊「在」は存在の場所のほかに、動作が行われる場所も表します。その場合も、「在 + 場所」の形ですが、「在 + 場所 + 動詞 + 目的語」という語順になります。

⑥　花子的妈妈不工作,是家庭主妇。

＊「不」は動詞の前に置き、否定形を作ります。

⑦　花子的哥哥是公务员。

＊「是」は左右が同じであることを表します。

⑧　花子的妹妹不是公务员,是大学生。

＊「是」の否定形は「不是」です。

⑨　花子在大学学过一点儿汉语。

＊「过」は過去の経験を表します。「動詞 + 过」という形です。否定形は「没有」を使います。「不」としっかり区別しましょう。

⑩　花子工作很忙,经常得加班。

＊「忙」は形容詞です。形容詞述語文の肯定形は形容詞の前に必ず「很」を付けないといけません。「得」は助動詞で、必ず動詞の前です。

⑪　花子在公司负责跟中国的业务。

＊「跟」は前置詞で、「～と」という意味で、動詞の前に置きます。

⑫　花子的爱好是听古典音乐。

＊趣味を言うとき、「是」の後ろにさらに動詞を続けるのが普通です。

⑬　花子喜欢唱卡拉OK。

＊趣味を言うとき、「喜欢」の後ろにさらに動詞を続けるのが普通です。

⑭　花子在卡拉OK唱中国歌曲。

＊「在」は動作が行われる場所を表します。必ず動詞の前に置かないといけません。

⑮　花子的同事们不唱中国歌曲,唱日本歌曲。

「動詞 ＋ 目的語」の定型的な組み合わせBEST 30

　中国語の基本的な文の構造は「主語 ＋ 動詞 ＋ 目的語」という形です。この形の中で動詞と目的語の組み合わせは非常に重要です。例えば「ご飯を作る」は「做饭」で、誰にでも予測できますが、「餃子を作る」は「做饺子」ではなく、「包饺子」であり、なかなか思いつかないものです。

　また、動詞と目的語の組み合わせがわかっていれば、主語やその他の言葉を加えるだけで簡単に文を作れます。例えば、「我包饺子了」（私は餃子を作りました）、「我包过饺子」（私は餃子を作ったことがあります）などです。

1.	喝咖啡	hē kā fēi	コーヒーを飲む
2.	喝乌龙茶	hē wū lóng chá	ウーロン茶を飲む
3.	喝绍兴酒	hē shào xīng jiǔ	紹興酒を飲む
4.	吃饭	chī fàn	ご飯を食べる
5.	吃早饭	chī zǎo fàn	朝食を食べる
6.	吃午饭	chī wǔ fàn	昼食を食べる
7.	吃晚饭	chī wǎn fàn	夕食を食べる
8.	吃火锅	chī huǒ guō	鍋料理を食べる
9.	吃北京烤鸭	chī běi jīng kǎo yā	北京ダックを食べる
10.	吃饺子	chī jiǎo zi	餃子を食べる
11.	包饺子	bāo jiǎo zi	餃子を作る
12.	包包子	bāo bāo zi	肉まんを作る

13.	洗澡	xǐ zǎo	お風呂に入る
14.	洗衣服	xǐ yī fu	洗濯をする
15.	洗温泉	xǐ wēn quán	温泉に入る
16.	看书	kàn shū	本を読む
17.	看报纸	kàn bào zhǐ	新聞を読む
18.	看漫画	kàn màn huà	漫画を読む
19.	看动漫	kàn dòng màn	アニメを見る
20.	看电视	kàn diàn shì	テレビを見る
21.	看电影	kàn diàn yǐng	映画を見る
22.	上班	shàng bān	仕事に行く
23.	下班	xià bān	仕事から帰る
24.	听音乐	tīng yīn yuè	音楽を聴く
25.	买东西	mǎi dōng xi	買い物をする
26.	打网球	dǎ wǎng qiú	テニスをする
27.	打棒球	dǎ bàng qiú	野球をする
28.	打太极拳	dǎ tài jí quán	太極拳をする
29.	踢足球	tī zú qiú	サッカーをする
30.	唱卡拉OK	chàng kǎ lā OK	カラオケに行く

文法公式のまとめ

　UNIT 1〜20で紹介した中国語文法の公式を一覧にしました。もう一度チェックして、忘れたものは学習ページに戻って、復習しておきましょう。

UNIT 1
- **公式1** 中国語の基本的なあいさつ:「好久不见了」「没关系」など ▶ 32

UNIT 2
- **公式2** 名前のたずね方には2通りある ▶ 38
- **公式3** 「人称代詞」は主語も目的語も同じ ▶ 39

UNIT 3
- **公式4** 「是」はイコールでつなぐ ▶ 44
- **公式5** 「吗」(〜か?)は疑問文をつくる ▶ 46
- **公式6** 「也」(〜も)は同じことを言うのに使う ▶ 47

UNIT 4
- **公式7** 「指示代詞」は物や場所を示す ▶ 52
- **公式8** 疑問代詞の「什么」は「何、どんな」を聞く ▶ 54

UNIT 5
- **公式9** 疑問代詞の「谁」は人についてたずねる ▶ 60
- **公式10** 省略疑問文の「呢」(〜は?) ▶ 61
- **公式11** 数字の言い方 ▶ 62

UNIT 6
- 公式12　動詞の「有」は「〜がある、〜を持っている」　▶ 70
- 公式13　反復疑問文は「動詞の肯定形 ＋ 同じ動詞の否定形」でつくる　▶ 71

UNIT 7
- 公式14　「量詞」は人・物を数える単位である　▶ 76
- 公式15　「指示代詞 ＋ 量詞」で「この〜」「あの〜」の表現をつくる　▶ 79

UNIT 8
- 公式16　場所の「指示代詞」は口語・文語で異なる　▶ 84
- 公式17　「場所 ＋ 有 ＋ 人・物の名詞」で「〜に〜がある・いる」　▶ 85
- 公式18　疑問代詞「几」と「多少」は数で使い分ける　▶ 86

UNIT 9
- 公式19　月・日・曜日の言い方　▶ 92
- 公式20　年号・電話番号の言い方　▶ 94

UNIT 10
- 公式21　「名詞述語文」は名詞が述語になり、「是」は省略可　▶ 100
- 公式22　時刻の言い方　▶ 101
- 公式23　年齢のたずね方　▶ 102

UNIT 11
- 公式24　「形容詞述語文」は形容詞が述語になり、「是」は不要　▶ 110
- 公式25　「怎么样」は性質・状態をたずねる　▶ 113

UNIT 12

公式26	「指示代詞 + 个」の使い方	▶ 118
公式27	形容詞を強調する「太〜了」(すごく〜だ／非常に〜だ)	▶ 119
公式28	金額は「物 + 多少钱」(〜はいくら？)でたずねる	▶ 120
公式29	お金の言い方は口語と文語で違う	▶ 121

UNIT 13

| 公式30 | 「動作を表す動詞」の基本形は英語と同じである | ▶ 126 |

UNIT 14

| 公式31 | 「助動詞」は動詞の前に置く | ▶ 132 |
| 公式32 | 2文字以上の動詞・形容詞・助動詞の反復疑問文 | ▶ 133 |

UNIT 15

| 公式33 | 完了の「了」と経験の「过」 | ▶ 138 |
| 公式34 | 「不」と「没有」の使い分け | ▶ 140 |

UNIT 16

| 公式35 | 「正在〜呢」は動作の進行を表す | ▶ 148 |
| 公式36 | 選択疑問文は「还是」を使ってつくる | ▶ 150 |

UNIT 17

| 公式37 | 「喜欢」(〜が好きだ)には名詞と動詞が続けられる | ▶ 156 |
| 公式38 | 「在」は動詞と前置詞として使う | ▶ 157 |

UNIT 18

公式39	「去」と「来」は動作に方向を与える	▶ 164
公式40	前置詞の「跟」は「〜と一緒に」	▶ 165
公式41	「吧」は勧誘・提案と疑問・推測を表す	▶ 166

UNIT 19

公式42	前置詞の「从」(〜から)と「到」(〜まで)	▶ 172
公式43	「一边〜一边〜」は同時進行を表す	▶ 172
公式44	「先〜,然后〜」は動作の順序を表す	▶ 173

UNIT 20

| 公式45 | 主述述語文は「主語 ＋ 述語」が述語になる | ▶ 180 |

ビギナー ボキャブラリー

中国語ビギナーが身につけておくべき基本単語を品詞・テーマ別に紹介します。知らない単語をチェックして、しっかり覚えましょう。約200語あります。

動詞

- ☐ 笑　xiào　笑う
- ☐ 哭　kū　泣く
- ☐ 做　zuò　する、作る
- ☐ 干　gàn　する、やる
- ☐ 包　bāo　包む、包装する
- ☐ 差　chà　〜と差がある
- ☐ 找　zhǎo　探す、見つける
- ☐ 踢　tī　蹴る
- ☐ 学　xué　習う、勉強をする
- ☐ 见　jiàn　会う、出会う
- ☐ 见面　jiàn miàn　会う、出会う
- ☐ 关照　guān zhào　面倒を見る
- ☐ 集合　jí hé　集合する、集まる
- ☐ 负责　fù zé　担当する
- ☐ 出差　chū chāi　出張する
- ☐ 减肥　jiǎn féi　ダイエットする
- ☐ 欢迎　huān yíng　歓迎する
- ☐ 打搅　dǎ jiǎo　邪魔する
- ☐ 回来　huí lai　帰ってくる
- ☐ 回家　huí jiā　帰宅する
- ☐ 出来　chū lai　出て来る
- ☐ 出去　chū qu　出て行く、出かける
- ☐ 加班　jiā bān　残業する
- ☐ 早起　zǎo qǐ　早起きする
- ☐ 下雨　xià yǔ　雨が降る
- ☐ 下雪　xià xuě　雪が降る
- ☐ 上车　shàng chē　乗車する
- ☐ 下车　xià chē　下車する
- ☐ 流行　liú xíng　流行する、流行る
- ☐ 报名　bào míng　申し込む、申請する

- ☐ 结束　jié shù　終わる、終了する
- ☐ 开门　kāi mén
  开店する、オープンする
- ☐ 关门　guān mén　閉店する、閉まる
- ☐ 聊天儿　liáo tiānr
  おしゃべりをする

形容詞

- ☐ 近　jìn　近い
- ☐ 远　yuǎn　遠い
- ☐ 好　hǎo　好い、素晴らしい
- ☐ 多　duō　多い
- ☐ 瘦　shòu　痩せた、スマートな
- ☐ 胖　pàng　太った、肥えた
- ☐ 高　gāo　高い
- ☐ 发达　fā dá　発達した
- ☐ 闷热　mēn rè　蒸し暑い

名詞

● 家族・呼称

- ☐ 爷爷　yé ye　祖父、おじいさん
- ☐ 奶奶　nǎi nai　祖母、おばあさん
- ☐ 丈夫　zhàng fu　夫
- ☐ 妻子　qī zi　妻
- ☐ 孩子　hái zi　子供
- ☐ 儿子　ér zi　息子
- ☐ 女儿　nǚ ér　娘
- ☐ 小弟弟　xiǎo dì di
  小さい男の子の呼び方
- ☐ 小妹妹　xiǎo mèi mei
  小さい女の子の呼び方
- ☐ 老爷爷　lǎo yé ye
  お年寄りの男性の呼び方
- ☐ 老奶奶　lǎo nǎi nai
  お年寄りの女性の呼び方
- ☐ 女士　nǚ shì　～さん（女性に限る）
  ＊名前の後に付ける。
- ☐ 同事　tóng shì　同僚
- ☐ 同学　tóng xué
  クラスメート、同級生
- ☐ 家庭主妇　jiā tíng zhǔ fù
  専業主婦

● 仕事

- ☐ 工作　gōng zuò　仕事
- ☐ 业务　yè wù　業務、仕事
- ☐ 贸易　mào yì　貿易
- ☐ 客人　kè rén　お客さん
- ☐ 东西　dōng xi　物、品物
- ☐ 事儿　shìr　用事、事柄

- ☐ 事情 shì qing 用事、事柄
- ☐ 钱 qián お金
- ☐ 电话号码 diàn huà hào mǎ
  電話番号
- ☐ 护士 hù shi 看護士
- ☐ 公务员 gōng wù yuán 公務員

● 服装・身の回り品

- ☐ 衣服 yī fu 衣服、洋服
- ☐ 表 biǎo 時計
- ☐ 手表 shǒu biǎo 腕時計
- ☐ 钱包 qián bāo 財布
- ☐ 背包 bēi bāo リュック
- ☐ 皮包 pí bāo 鞄、バッグ
- ☐ 雨伞 yǔ sǎn 傘
- ☐ 遮阳伞 zhē yáng sǎn 日傘
- ☐ 名牌儿 míng pánr
  有名ブランド

● 食べ物・飲み物

- ☐ 饭 fàn ご飯、ライス
- ☐ 炒饭 chǎo fàn チャーハン
- ☐ 火锅 huǒ guō 鍋料理、土鍋
- ☐ 咖喱饭 gā lí fàn カレーライス
- ☐ 蛋糕 dàn gāo ケーキ
- ☐ 点心 diǎn xin デザート、お菓子

- ☐ 日餐 rì cān 日本料理
- ☐ 巧克力 qiǎo kè lì チョコレート
- ☐ 冰激凌 bīng ji líng
  アイスクリーム
- ☐ 酒 jiǔ お酒
- ☐ 绍兴酒 shào xīng jiǔ 紹興酒

● 電気製品

- ☐ 电器 diàn qì 電気製品
- ☐ 智能手机 zhì néng shǒu jī
  スマートホン
- ☐ 桌面电脑 zhuō miàn diàn nǎo
  デスクトップパソコン
- ☐ 笔记本电脑 bǐ jì běn diàn nǎo
  ノートパソコン
- ☐ 微软 wēi ruǎn マイクロソフト
- ☐ 视窗 shì chuāng ウインドウズ
- ☐ 游戏 yóu xì ゲーム
- ☐ 电子词典 diàn zǐ cí diǎn
  電子辞書

● 交通手段・旅行

- ☐ 车 chē 車、乗用車
- ☐ 公交车 gōng jiāo chē バス
- ☐ 乘客 chéng kè 乗客
- ☐ 游客 yóu kè 観光客

- ☐ 旅游团　lǚ yóu tuán
  ツアー、旅行団
- ☐ 温泉　wēn quán　温泉
- ☐ 风景　fēng jǐng　風景、景色

● 文化・娯楽
- ☐ 音乐　yīn yuè　音楽
- ☐ 音乐会　yīn yuè huì　コンサート
- ☐ 古典音乐　gǔ diǎn yīn yuè
  クラシック音楽
- ☐ 电视　diàn shì　テレビ
- ☐ 电视剧　diàn shì jù
  テレビドラマ
- ☐ 电影　diàn yǐng　映画
- ☐ 广播　guǎng bō　ラジオ放送
- ☐ 歌曲　gē qǔ　歌、歌謡曲
- ☐ 舞蹈　wǔ dǎo　踊り、ダンス
- ☐ 动漫　dòng màn　アニメ
- ☐ 漫画　màn huà　漫画
- ☐ 游戏　yóu xì　ゲーム
- ☐ 卡拉OK　kǎ lā OK　カラオケ

● スポーツ
- ☐ 足球　zú qiú　サッカー
- ☐ 棒球　bàng qiú　野球
- ☐ 网球　wǎng qiú　テニス
- ☐ 乒乓球　pīng pāng qiú　卓球
- ☐ 高尔夫球　gāo ěr fū qiú　ゴルフ
- ☐ 马拉松　mǎ lā sōng　マラソン
- ☐ 太极拳　tài jí quán　太極拳
- ☐ 比赛　bǐ sài　試合
- ☐ 奥运会　Ào yùn huì
  オリンピック

● 場所
- ☐ 里　lǐ　～の中
- ☐ 上　shàng　～の中、～の上
- ☐ 大学　dà xué　大学
- ☐ 老家　lǎo jiā　故郷
- ☐ 附近　fù jìn　付近、近く
- ☐ 会场　huì chǎng　会場
- ☐ 超市　chāo shì
  スーパーマーケット
- ☐ 餐厅　cān tīng　レストラン、食堂
- ☐ 便利店　biàn lì diàn
  コンビニストア
- ☐ 快餐厅　kuài cān tīng
  ファストフード店
- ☐ 咖啡厅　kā fēi tīng　喫茶店
- ☐ 居酒屋　jū jiǔ wū　居酒屋
- ☐ 星巴克　xīng bā kè
  スターバックス

- ☐ 麦当劳 mài dāng láo
  マクドナルド
- ☐ 美术馆 měi shù guǎn　美術館
- ☐ 迪斯尼 dí sī ní
  ディズニーランド
- ☐ 游乐园 yóu lè yuán　遊園地
- ☐ 购物中心 gòu wù zhōng xīn
  ショッピングセンター、デパート

● 時間

- ☐ 初次 chū cì　はじめて、初回
- ☐ 现代 xiàn dài　現代
- ☐ 现在 xiàn zài　現在、いま
- ☐ 经常 jīng cháng
  いつも、しょっちゅう
- ☐ 以后 yǐ hòu　〜の後、以降
- ☐ 每天 měi tiān　毎日
- ☐ 星期 xīng qī　曜日
- ☐ 上星期 shàng xīng qī
  先週
- ☐ 这星期 zhè xīng qī　今週
- ☐ 下星期 xià xīng qī　来週
- ☐ 上个月 shàng ge yuè　先月
- ☐ 这个月 zhè ge yuè　今月
- ☐ 下个月 xià ge yuè　来月
- ☐ 一下 yí xià　ちょっと、少し

- ☐ 一点儿 yì diǎnr　少し
- ☐ 年 nián　年
- ☐ 号 hào　日にち
- ☐ 时间 shí jiān　時間
- ☐ 生日 shēng ri　誕生日

● その他

- ☐ 身体 shēn tǐ　身体、体
- ☐ 个子 gè zi　身長
- ☐ 手 shǒu　手
- ☐ 名字 míng zi　名前
- ☐ 岁 suì　〜歳、年
- ☐ 爱好 ài hào　趣味
- ☐ 们 men　複数を表す
- ☐ 语法 yǔ fǎ　文法
- ☐ 发音 fā yīn　発音
- ☐ 词典 cí diǎn　辞書、辞典
- ☐ 天气 tiān qì　天気
- ☐ 鲜花 xiān huā　お花
- ☐ 田地 tián dì　農地

● 副詞

- ☐ 稍 shāo　少し、しばらく
- ☐ 比较 bǐ jiào　比較的
- ☐ 太 tài　とても〜、非常に〜

- ☐ 一边〜一边　yì biān 〜 yì biān
  〜をしながら〜をする
- ☐ 先〜然后　xiān 〜 rán hòu
  まず〜をして、それから〜をする

疑問代詞

- ☐ 哪　nǎ　どれ、どの
- ☐ 几　jǐ　いくつ、どのくらい
- ☐ 几月　jǐ yuè　何月
- ☐ 几号　jǐ hào　何日
- ☐ 星期几　xīng qī jǐ　何曜日
- ☐ 哪年　nǎ nián　何年
- ☐ 多少　duō shao
  いくつ、どのくらい
- ☐ 几岁　jǐ suì　何歳
- ☐ 多大岁数　duō dà suì shu
  年齢をたずねる丁寧な言い方
- ☐ 多大年纪　duō dà nián jì
  年齢をたずねる丁寧な言い方
- ☐ 还是　hái shi　〜または〜
  *選択疑問を表す。

量詞

- ☐ 位　wèi　尊敬に値する人を数える
- ☐ 支　zhī　細長いものを数える
- ☐ 瓶　píng　瓶に入っているものを数える
- ☐ 辆　liàng　列車などを数える
- ☐ 块　kuài
  時計、石などかたまり状のものを数える
- ☐ 种　zhǒng　種類を数える
- ☐ 家　jiā　公共施設などを数える
- ☐ 盘　pán　皿に盛ったものを数える
- ☐ 本　běn　本、雑誌などの書物を数える
- ☐ 份儿　fènr　人数分のものを数える

前置詞

- ☐ 在　zài　〜で
- ☐ 从　cóng　〜から
- ☐ 到　dào　〜まで
- ☐ 跟　gēn　〜と一緒に

接頭辞

- ☐ 小　xiǎo　〜さん
  *年下の人の姓に付ける。
- ☐ 老　lǎo　〜さん
  *年上の人の姓に付ける。
- ☐ 贵　guì　相手を敬う言い方

■著者紹介

王 丹 （Wang Dan）

北京生まれ。1984年、北京第二外国語学院日本語科卒業。1992年、大分大学大学院経済学科修士課程修了。1995年よりNHK報道局「チャイナ・ナウ」の直属通訳、NHKスペシャル、衛星ハイビジョン特集番組、「アジア・ナウ」の通訳を経て、2001年4月より日本大学理工学部非常勤講師、国士舘大学非常勤講師。主な著書に『始めて学ぶ中国語』（神保出版）、『ゼロからスタート 中国語 文法編』、『ゼロからスタート 中国語 文法応用編』、『単語でカンタン！ 旅行中国語会話』、『ゼロからスタート 中国語単語』（以上、Jリサーチ出版）がある。

カバーデザイン	：滝デザイン事務所
本文デザイン／DTP	：朝日メディアインターナショナル株式会社
イラスト	：みうらもも
編集協力	：Paper Dragon LLC
CD録音・編集	：一般財団法人　英語教育協議会（ELEC）
CD制作	：高速録音株式会社

新ゼロからスタート 中国語 文法編

平成27年（2015年）3月10日　　初版第1刷発行
平成27年（2015年）11月10日　　　第2刷発行

著者　：王丹
発行人　：福田富与
発行所　：有限会社　Jリサーチ出版
　　　　〒166-0002　東京都杉並区高円寺北2-29-14-705
　　　　電話 03 (6808) 8801（代）　FAX 03 (5364) 5310
　　　　編集部 03 (6808) 8806
　　　　http://www.jresearch.co.jp
印刷所　：(株)シナノ パブリッシング プレス

ISBN978-4-86392-219-8　禁無断転載。なお、乱丁・落丁はお取り替えいたします。

© Wang Dan, 2015 All rights reserved.